監修 川島隆太教授

改訂版

元気脳練習帳

脳が活性化する 大人の えんぴつ書写 脳ドリル

Gakken

本書「脳ドリル」で脳活性が実証されました

脳の前頭前野の機能低下を防ぎましょう

年齢を重ねていくうちに物忘れが多くなり、記憶力や注意力、判断力の衰えが始まります。

このような衰えの原因は、脳の前頭葉にある前頭前野の機能が低下したことによるものです。脳が行う情報処理、行動・感情の制御はこの前頭前野が担っており、社会生活を送る上で非常に重要な場所です。

そこで、脳の機能を守るためには、**前頭前野の働きを活発にする**ことが必要となってきます。

脳の活性化を調べる実験をしました

脳の前頭前野を活発にする作業は何なのか、多数の実験を東北大学と学研の共同研究によって行いました。そのときの様子が下の写真です。

なぞり書きの書写、漢字や熟語の読み書き、音読、足し算や掛け算などの単純計算、イラスト間違い探し、文字のパズル、また写経やオセロ、積み木など幅広い作業を光トポグラフィという装置を使い、作業ごとに脳の血流の変化を調べていきました。

本書「脳ドリル」の実験風景

脳の血流変化を調べた実験画像

▼脳ドリルの実験

▼実験前（安静時）

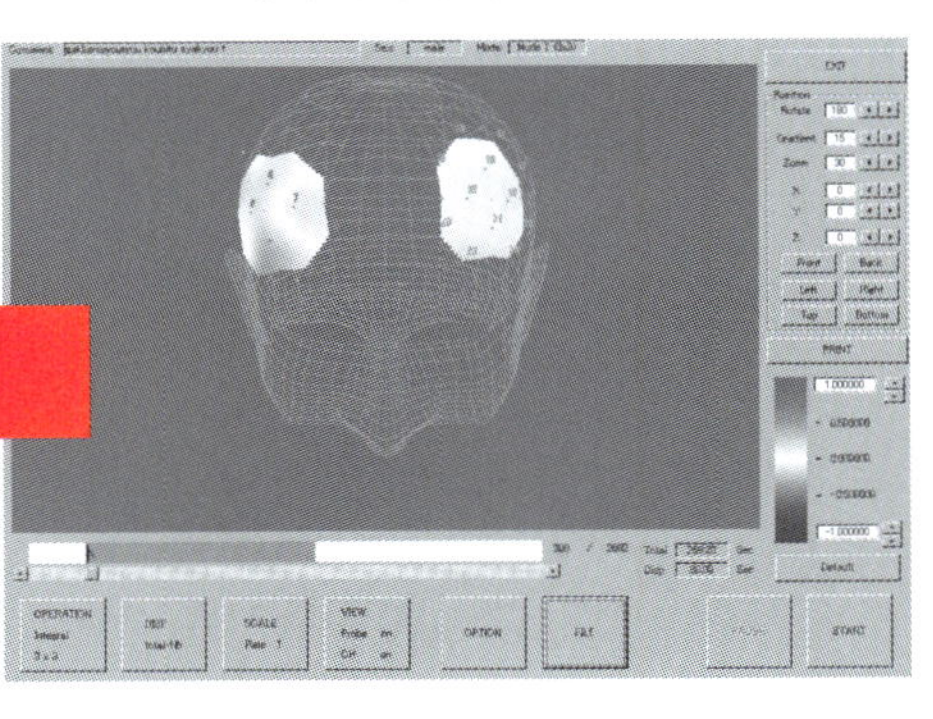

前頭葉（ぜんとうよう）の血流が増えて活性化！

脳ドリルで前頭葉（ぜんとうよう）の働きがアップします！

百人一首や俳句などのなぞり書き（書写）に取り組むと、上の画像のとおり前頭葉（ぜんとうよう）の血流が増え、脳が非常に活性化していることが判明しました。

なぞり書きの書写は**認知力や注意力**を使い、さらに手先をデリケートに動かすため、前頭葉（ぜんとうよう）の働きを活発に高める効果があります。本書「脳ドリル」で脳の活性化が実証されたのです。

監修 川島隆太（東北大学教授）

前頭前野をきたえる習慣が大切

脳の機能低下は前頭前野の衰えが原因です

「知っている人の名前が出てこない」「台所にきたのに、何をしにきたのかわからない」そんな経験をしたことはありませんか。

脳の機能は、実は20歳から低下しはじめることがわかっており、歳をとり、もの忘れが多くなるのは、自然なことです。ただし、脳の衰えに対して何もしなければ、前頭前野の機能は下がっていくばかり。

やがて、社会生活を送ることが困難になっていきます。

人間らしい生活に重要な「前頭前野」の働き

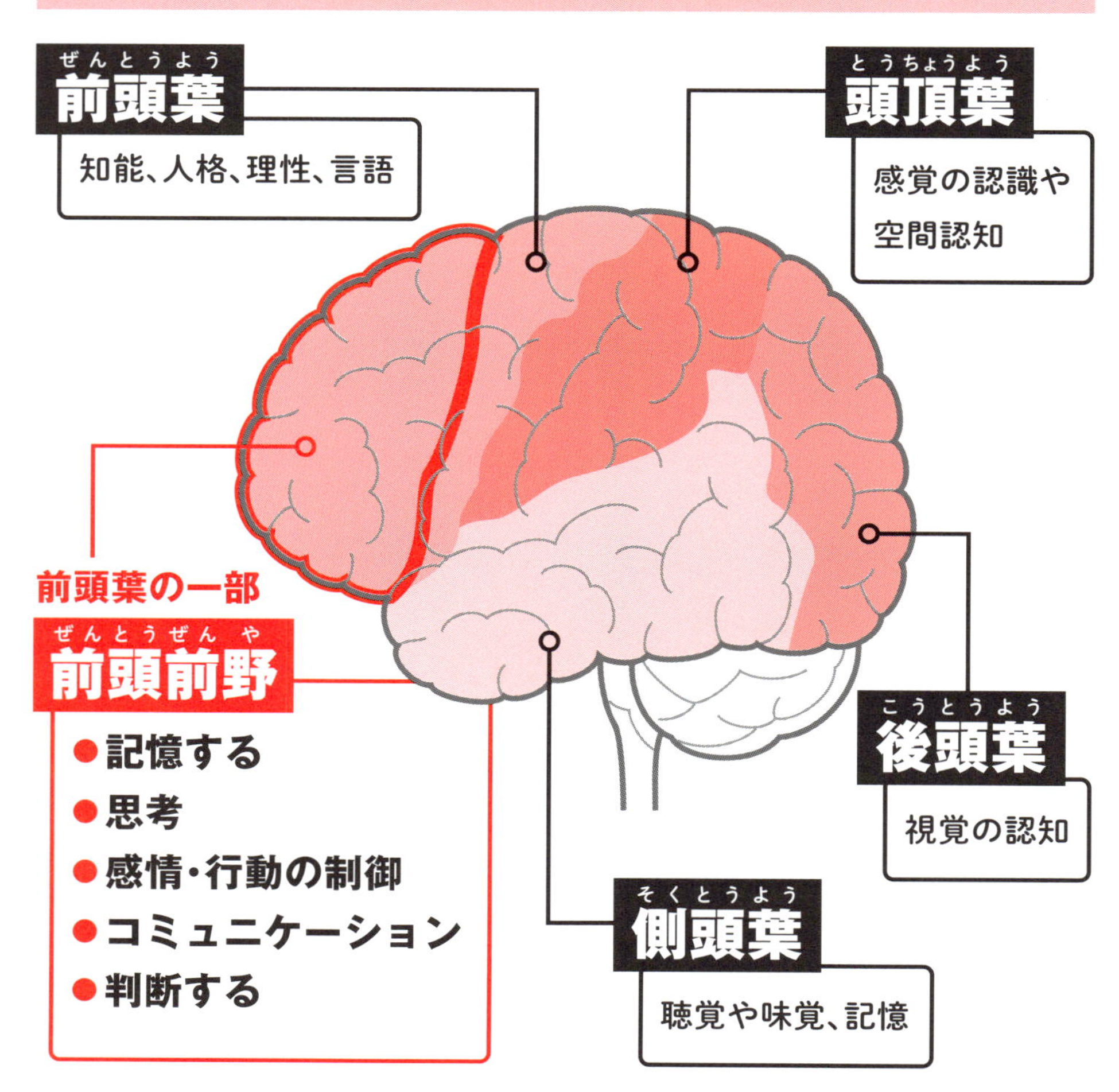

何歳でも脳トレで認知機能が向上！

脳を正しくきたえ脳機能の低下を防ぐ

歳をとれば体の働きが低下するのと同じように、脳の働きも低下していきます。しかし、何もしないで歳をとるのは賢くありません。脳の健康を保つための習慣を身につければ、歳をとってもいきいきと暮らすことができるのです。

私たちの研究では、どの年代であっても、脳をきたえると脳の認知機能が向上することが証明されています。

体の健康のために体を動かすのと同様に、**前頭前野（ぜんとうぜんや）を正しくきたえる**ことで、機能の低下を防ぎ、活発に働くように保つことができるのです。特に有効な作業が、実際に手を使って文字や数字を書くこと。そうです、わかりやすくいえば、「読み書き計算」です。

本書に直接書き込み、脳をきたえましょう

では、テレビを見たり、スマホを使ったりするときの脳は働いているでしょうか？

実は、このときの脳の前頭前野（ぜんとうぜんや）はほとんど使われていません。

パソコンやスマホで文字を入力する際には、画面に出てくる漢字の候補を選択するだけですから、漢字を書く手間も思い出す手間もいらないため、脳を働かせていないわけです。

鉛筆を手に持ち、漢字や文字の細いつくりに気をつけながら直接書き込み、認知力と注意力をきたえましょう。

毎日たった10～15分でいいのです。脳の健康を守ることを習慣づけましょう。

改訂版

元気脳練習帳

脳が活性化する 大人の えんぴつ書写 脳ドリル

本書の使い方

和歌や俳句、論語の訳や解説があります。

「第2章 俳句」には季語クイズがあります。

書写した日付を書きます。

えんぴつでなぞり書きします。

お手本を参考に句を書きます。

季語クイズの解答はページの下部にあります。

もくじ

第1章

百人一首

～なつかしの和歌をもう一度～

「百人一首」とは、百人の歌人の和歌を、一首ずつ選んでまとめた歌集のこと。現在、一般に「百人一首」と呼ぶのは、藤原(ふじわらの)定家(さだいえ)が選者の『小倉百人一首』である。主に奈良・平安・鎌倉の三つの時代にわたり、恋や季節、旅情、別れなどを題材にした歌が収められている。

百人一首 1日目

自らの姿を色あせた桜になぞらえる

小野小町（おののこまち）

月　日

1 書写のポイントに気をつけて歌をなぞりましょう。

花（はな）の色（いろ）は
うつりにけりな
いたづらに
わが身（み）世（よ）にふる
ながめせしまに

はらう　あける　中心を意識　あける　等間隔に　あける　高さをそろえない

『小倉百人一首』九番

鑑賞

「私が物思いにふけっている間に、桜の花の色は長雨で色あせてしまった。そして私の容姿も同じように衰えてしまった」と訳せる。作者は、絶世の美女と伝えられる小野小町。この歌は、自らの容姿の衰えを、春の長雨で色あせた桜の花に重ね合わせて嘆いているもの。「ふる」は「経る」と「降る」の掛詞（かけことば）*。「ながめ」は「眺め」と「長雨」の掛詞。

2 歌をなぞりましょう。

花の色は
うつりにけりな
いたづらに
わが身世にふる
ながめせしまに

3 1のお手本を参考に、歌を書きましょう。

＊掛詞とは、発音が同じで意味の異なる言葉を使い、一つの言葉に二つ以上の意味を重ね合わせるという、和歌などで用いられる表現方法の一つ。

百人一首

2日目

若菜によせて恋人の一年の健康を願う

光孝天皇（こうこうてんのう）

□月□日

1 書写のポイントに気をつけて歌をなぞりましょう。

君がため（きみ）
春の野に出でて（はるのいで）
若菜つむ（わかな）
わが衣手に（ころもで）
雪はふりつつ（ゆき）

長く　あける　そろえる　等間隔に　あける　はねる　ひろく　あける　等間隔に

『小倉百人一首』一五番

鑑賞

訳すと、「あなたのために春の野に出て若菜をつんでいると、私の袖に雪がしきりに降りかかる」となる。「若菜」は、春の七草のこと。それを吸い物にして食べると、邪気を払うことができるという風習がある。天皇自身が若菜をつんだのではなく、若菜に添えた挨拶の歌だと思われるが、恋人を思う、あたたかい気持ちが伝わってくる。

2 歌をなぞりましょう。

君がため
春の野に出でて
若菜つむ
わが衣手に
雪はふりつつ

3 1のお手本を参考に、歌を書きましょう。

百人一首 3日目

まだ見ぬ女性への思いを詠んだ歌

中納言兼輔(ちゅうなごんかねすけ)

月　日

1 書写のポイントに気をつけて歌をなぞりましょう。

みかの原(はら)わきて流(なが)るるいづみ川(がわ)いつみきとてか恋(こい)しかるらむ

『小倉百人一首』二七番

中心を意識　あける　とめる　形を意識　次につなげる意識　等間隔に　そろえる　ひろく　はらう

鑑賞

まだ見ぬ女性への恋心を詠んだ歌。「みかの原を分けて流れる『いづみ川』ではないが、まだ会ったこともないあなたのことが、どうしてこんなに恋しいのだろう」と訳せる。平安時代、女性はめったに外に出ないため、男性は、まわりの評判から女性に憧れることが少なくなかった。中納言兼輔の作とされるが、実際はよみびとしらずの歌という説もある。

2 歌をなぞりましょう。

みかの原わきて流るるいづみ川いつみきとてか恋しかるらむ

3 1のお手本を参考に、歌を書きましょう。

百人一首 4日目

ほととぎすに夏の情趣を感じる

後徳大寺左大臣(ごとくだいじのさだいじん)

□月□日

1 書写のポイントに気をつけて歌をなぞりましょう。

ほととぎす 鳴(な)きつるかたを ながむれば ただありあけの 月(つき)ぞ残(のこ)れる

そろえる　長く　等間隔に　はねる　はらう　はらう　ひろく　平行に

『小倉百人一首』八一番

鑑賞

詞書(ことばがき)*には「暁に郭公(ほととぎす)を聞く」とあり、夜明け頃の情景を詠んだ歌だということがわかる。訳せば、「ほととぎすの声がしたほうを見ると、もうそこに姿はなく、ただ明け方の月があるだけだった」となる。平安時代、「ほととぎす」は夏の風物詩として親しまれていた。明け方に聞こえるほととぎすの声を楽しみに、夜を明かすこともあったという。

2 歌をなぞりましょう。

ほととぎす 鳴きつるかたを ながむれば ただありあけの 月ぞ残れる

3 1のお手本を参考に、歌を書きましょう。

＊詞書とは、和歌の前に書かれる、歌が詠まれた時や場所、状況などを説明するもの。

百人一首 5日目

母の代作ではないことを証明した

小式部内侍（こしきぶのないし）

□月□日

1 書写のポイントに気をつけて歌をなぞりましょう。

大江山（おおえやま） いく野の道（みち）の 遠（とお）ければ まだふみもみず 天（あま）の橋立（はしだて）

広めにあける　とめる　斜めに　等間隔に　あける　はらう　下を短く

『小倉百人一首』六〇番

鑑賞

「大江山を越えて生野を通る道のりが遠いので、まだ天の橋立は踏んだことがなく、母からの手紙も読んでいません」と訳せる。有名な歌人である和泉式部（いずみしきぶ）を母にもつ、小式部内侍の作。「お母さまに頼んだ代作は届いたか」というからかいに対し、母がいる丹後国（たんごのくに）までの地名を入れ込み、掛詞（かけことば）、縁語（えんご）*を使った技巧的な歌を即興で詠み、その実力を示した。

2 歌をなぞりましょう。

大江山 いく野の道の 遠ければ まだふみもみず 天の橋立

3 1のお手本を参考に、歌を書きましょう。

*縁語とは、和歌で使われる主要な言葉に、意味の上で関連のあるものを用いることで、歌に情趣をつける修辞法。

百人一首 6日目

熱い恋心を打ち明ける歌

藤原実方朝臣（ふじわらのさねかたあそん）

月　日

1 書写のポイントに気をつけて歌をなぞりましょう。

かくとだに
えやはいぶきの
さしも草
さしも知らじな
燃ゆる思ひを

『小倉百人一首』五一番

そろえる　あける　まっすぐに　ぐさ　長く　し　次につなげる意識で　も　おも　形を意識

鑑賞

訳すと、「思っていることさえ言えないのだから、伊吹山のさしも草のように燃える私の思いのほどを、あなたは知らないでしょうね」。恋に燃える思いを、さしも草*が燃える様子にたとえている。「さしも」の同音反復、「えやはいぶき」「思ひ（火）」の掛詞（かけことば）、「さしも草」「燃ゆる」の縁語（えんご）と、相手の気を引くために技巧が多く使われている。

2 歌をなぞりましょう。

かくとだに
えやはいぶきの
さしも草
さしも知らじな
燃ゆる思ひを

3 1のお手本を参考に、歌を書きましょう。

＊さしも草とは、灸に使う「もぐさ」の材料となるよもぎのこと。

百人一首 7日目

季節の風物詩に夏の到来を感じる

持統天皇（じとうてんのう）

□月□日

1 書写のポイントに気をつけて歌をなぞりましょう。

春すぎて（はる）
夏来にけらし（なつ き）
白妙の（しろたえ）
衣ほすてふ（ころも）
天の香具山（あま かぐやま）

等間隔に　そろえる　ひろく　形を意識　とめる　少し下げる

『小倉百人一首』二番

鑑賞

「春が過ぎて夏が来たらしい。というのも、夏になると衣を干すという天の香具山に衣が干してあるからだ」と訳せる。この元歌は、万葉集に収められている「春過ぎて夏来たるらし白妙の衣ほしたり天の香具山」。万葉集では直接的だった表現が、平安時代に間接的な表現に変えられた。かつては目の前にあった風俗が、平安にはすでに言い伝えだったとわかる。

2 歌をなぞりましょう。

春すぎて
夏来にけらし
白妙の
衣ほすてふ
天の香具山

3 1のお手本を参考に、歌を書きましょう。

百人一首 8日目

恋のために長生きしたいという願い

藤原義孝（ふじわらのよしたか）

月　日

1 書写のポイントに気をつけて歌をなぞりましょう。

君（きみ）がため　惜（お）しからざりし　いのちさへ　長（なが）くもがなと　思（おも）ひけるかな

書き順　1 2 3
はねる
あける
次につなげる意識で
はらう
右に少し上げる
形を意識

『小倉百人一首』五〇番

2 歌をなぞりましょう。

君がため　惜しからざりし　いのちさへ　長くもがなと　思ひけるかな

3 1のお手本を参考に、歌を書きましょう。

鑑賞

「女のもとより帰りてつかはしける」という詞書（ことばがき）から、後朝（きぬぎぬ）の歌*ということがわかる。「あなたに会うためなら死んでもよいと思っていたが、あなたに会った今では命が惜しくなった」という意味の歌。恋が成就したことで、自分の命への考え方が変わり、生きることの喜びを詠んだ。美しい容貌、歌の才能に恵まれた作者だったが、皮肉にも、二十一歳の若さで亡くなっている。

＊当時、男性が夜、女性の家を訪ねた後、家に帰ってすぐ女性に「後朝の歌（文）」を贈るという習慣があった。

百人一首

9日目

秋山の静けさが感じられる

猿丸大夫（さるまるだゆう）

□月□日

1 書写のポイントに気をつけて歌をなぞりましょう。

奥山に　もみぢふみわけ　鳴く鹿の　声きくときぞ　秋はかなしき

（おく　やま／なしか／こえ／あき）

あける　長めにはらう　次につなげる意識で　あける　等間隔に　ひろく　左側長めに

『小倉百人一首』五番

鑑賞

秋の物寂しさがしみじみと伝わってくる。訳すと、「人里離れた奥山で、紅葉を踏み分けて鳴く鹿の声を聞くと、秋の悲しさがいっそう感じられる」となる。紅葉を踏み分けるのは、鹿であるとする説と、作者であるとする説がある。作者は、三十六歌仙（さんじゅうろっかせん）の一人の猿丸大夫とされているが、実際はよみびとしらずの歌といわれている。

2 歌をなぞりましょう。

奥山に　もみぢふみわけ　鳴く鹿の　声きくときぞ　秋はかなしき

3 1のお手本を参考に、歌を書きましょう。

百人一首

10日目

隠し切れない恋心に思い悩む

平兼盛（たいらのかねもり）

月　日

1 書写のポイントに気をつけて歌をなぞりましょう。

しのぶれど
色（いろ）に出（い）でにけり
わが恋（こい）は
ものや思（おも）ふと
人（ひと）の問（と）ふまで

『小倉百人一首』四〇番

鑑賞

「私の恋は人に知られないようにしていたが、人から『何を物思いしているのか』と聞かれるほど、顔に出ていたらしい」と訳せる。「天徳内裏歌合（てんとくだいりうたあわせ）」*で壬生忠見（みぶのただみ）の「恋すてふ わが名はまだき たちにけり……」（小倉百人一首・四一番）と合わされたとき、天皇が兼盛のこの歌を口ずさんだため、この歌が勝ちとなったというエピソードがある。

2 歌をなぞりましょう。

しのぶれど
色に出でにけり
わが恋は
ものや思ふと
人の問ふまで

3 1のお手本を参考に、歌を書きましょう。

*「天徳内裏歌合」とは、村上天皇の時代に行われた最も盛大な歌合（うたあわせ）（歌の優劣を競う遊戯）で、後世の歌合の規範ともなった。

百人一首

11日目

平安の人々に愛された秋の野の風景

文屋朝康（ふんやのあさやす）

月　日

1 書写のポイントに気をつけて歌をなぞりましょう。

白露（しらつゆ）に　風（かぜ）の吹（ふ）きしく　秋（あき）の野（の）は　つらぬきとめぬ　玉（たま）ぞ散（ち）りける

右側を広く　あける　まっすぐに　あける　長く　あける　等間隔に

『小倉百人一首』三七番

鑑賞

この歌は、真珠のような白露が、風によって草の上に散り乱れた光景を詠んだもの。「白露に、風がしきりに吹きつける秋の野は、まるで糸を通していない真珠が散っているかのようだ」と訳せる。「露」は、人々が秋の情趣として愛したもので、和歌の世界ではしばしば涙にたとえられる。白く光る露は、とくに玉（真珠のこと）に見立てられた。

2 歌をなぞりましょう。

白露に　風の吹きしく　秋の野は　つらぬきとめぬ　玉ぞ散りける

3 1のお手本を参考に、歌を書きましょう。

百人一首

12日目

気がかりな恋人の心変わり

待賢門院堀川（たいけんもんいんのほりかわ）

□月□日

1 書写のポイントに気をつけて歌をなぞりましょう。

長（なが）からむ　心（こころ）も知らず　黒髪（くろかみ）の　乱（みだ）れてけさは　ものをこそ思（おも）へ

あける　はらう　はねる　し　長めに　ひろく　とめる

『小倉百人一首』八〇番

鑑賞

この歌は、後朝（きぬぎぬ）の歌に対する返歌である。「あなたの心は長く変わらないかどうか、わかりません。あなたと別れた今朝は寝乱れた長い黒髪のように私の心も乱れて、物思いにふけっている」という意味で、逢瀬（おうせ）後のゆらぎがちな女心を詠んでいる。長い黒髪は、女性の美の象徴であると同時に、心の乱れを表すアイテムともなっている。

2 歌をなぞりましょう。

長からむ　心も知らず　黒髪の　乱れてけさは　ものをこそ思へ

3 1のお手本を参考に、歌を書きましょう。

百人一首 13日目

深くつのる恋心を詠んだ歌

陽成院(ようぜいいん)

月　日

1 書写のポイントに気をつけて歌をなぞりましょう。

つくばねの
峰(みね)よりおつる
みなの川(がわ)
恋(こい)ぞつもりて
淵(ふち)となりぬる

あける　ひろく　等間隔に　等間隔に　等間隔に　そろえる

『小倉百人一首』一三番

鑑賞

陽成院から、釣殿(つりどの)の皇女(みこ)*へ贈られた歌。「筑波山の峰から落ちるみなの川の水が長い時のうちに深い淵となるように、私の恋も淵のように深くなってしまった」という意味。古代、男女が集まり、歌や舞を楽しんだという「歌垣(うたがき)」の伝承がある筑波山、漢字で「男女川(みなのがわ)」と書くみなの川の地名を詠み込み、彼女への積もる恋心を、水の流れがしだいに深い淵となる様子にたとえている。

2 歌をなぞりましょう。

つくばねの
峰よりおつる
みなの川
恋ぞつもりて
淵となりぬる

3 1のお手本を参考に、歌を書きましょう。

＊釣殿の皇女とは、光孝天皇(こうこうてんのう)の娘の綏子(すいし)内親王のこと。後に陽成院の后となる。

百人一首 14日目

苦しくても男女は出会い恋をする

中納言朝忠（ちゅうなごんあさただ）

□月□日

1 書写のポイントに気をつけて歌をなぞりましょう。

逢ふことの絶えてしなくはなかなかに人をも身をも恨みざらまし

斜めに　あ　はらう　た　あける　そろえる　ひろく　ひと　はらう　み　うら　等間隔に　等間隔に

『小倉百人一首』四四番

2 歌をなぞりましょう。

逢ふことの絶えてしなくはなかなかに人をも身をも恨みざらまし

3 1のお手本を参考に、歌を書きましょう。

鑑賞

訳すと、「男女が出会うということがまったくなければ、つれない相手に思い悩む恋の苦しみも知ることがなかったのに」となる。この歌は、「相手に会う前の恋心を詠んだ片思いの歌」とする説と、「会えない恋人への恨みを詠んだ、両思いになった後の歌」とする説があるが、選者である藤原定家（ふじわらのさだいえ）は、後者の説をとったという。

百人一首 15日目

幻想的な夜明けの雪の美しさ

坂上是則（さかのうえのこれのり）

□月□日

1 書写のポイントに気をつけて歌をなぞりましょう。

朝ぼらけ（あさ）
ありあけの月と（つき）
見るまでに（み）
吉野の里に（よしの）（さと）
ふれる白雪（しらゆき）

長く　等間隔に　そろえる　等間隔に　下を短く　等間隔に　中心から書き始める　等間隔に

『小倉百人一首』三一番

鑑賞

作者の坂上是則が、大和国（やまとのくに）（現在の奈良県）に泊まった翌朝に詠んだ歌。「しらじらと夜が明ける頃、明け方の月の光かと思うほどに、吉野の里に雪が降り積もっている」と訳せる。信仰の地として名高い吉野で、雪がうっすらと白く積もり、あたり一面を明るく照らす光景を目の当たりにした、作者の感動が伝わってくる。

2 歌をなぞりましょう。

朝ぼらけ
ありあけの月と
見るまでに
吉野の里に
ふれる白雪

3 1のお手本を参考に、歌を書きましょう。

百人一首 16日目

ひとり寝の寂しさを詠んだ歌

後京極摂政前太政大臣（ごきょうごくせっしょうさきのだいじょうだいじん）

□月□日

1 書写のポイントに気をつけて歌をなぞりましょう。

きりぎりす　鳴（な）くや霜夜（しもよ）の　さむしろに　衣（ころも）かたしき　ひとりかも寝（ね）む

とめる　そろえる　あける　はねる　まっすぐに　あける　はねる　とめる　等間隔に

『小倉百人一首』九一番

鑑賞

「こおろぎが鳴くこの霜夜の寒さの中、むしろの上に衣の袖の片方を敷いてひとり寂しく寝ることだよ」という意味。この歌は、28日目「あしびきの山鳥の尾の……」（↓P35）を本歌とする。自分の衣の袖の片方を敷いて、ひとり寝をすることは、相手に会えない寂しさを表す。作者の後京極摂政前太政大臣は、愛妻を亡くした悲しみをこの歌で詠んだとされる。

2 歌をなぞりましょう。

きりぎりす　鳴くや霜夜の　さむしろに　衣かたしき　ひとりかも寝む

3 1のお手本を参考に、歌を書きましょう。

百人一首
17日目

竜田川の紅葉を織物に見立てている

在原業平朝臣（ありわらのなりひらあそん）

□月□日

1 書写のポイントに気をつけて歌をなぞりましょう。

ちはやぶる　神代もきかず　竜田川　唐紅に　水くくるとは

はらう　形を意識　かみ　よ　はねる　中心を意識　たつ　た　がわ　等間隔に　から　くれない　ひろく　みず　あける　そろえる

『小倉百人一首』一七番

鑑賞

屏風（びょうぶ）に描かれた竜田川の紅葉の絵を見て、作者が即興で詠んだ歌。訳すと「竜田川の水を紅葉が紅色に染めるということは、不思議なことが多いという神々の時代にも聞いたことがない」となり、紅葉が美しく川を流れる様子を、絞り染めの織物に見立てている。「ちはやぶる」は「神」や「宇治」などにかかる枕詞（まくらことば）。

2 歌をなぞりましょう。

ちはやぶる　神代もきかず　竜田川　唐紅に　水くくるとは

3 1のお手本を参考に、歌を書きましょう。

百人一首 18日目

夜明けの別れを悲しむ後朝の歌

藤原道信朝臣（ふじわらのみちのぶあそん）

月　日

1 書写のポイントに気をつけて歌をなぞりましょう。

明けぬれば　暮るるものとは　知りながら　なほ恨めしき　朝ぼらけかな

（あ　く　し　うら　あさ）

はねる　等間隔に　はらう　はらう　はねる　あける　次につなげる意識で　左側を長く

『小倉百人一首』五二番

鑑賞

『後拾遺和歌集（ごしゅういわかしゅう）』の詞書（ことばがき）から、雪が降る日の後朝（きぬぎぬ）の歌であることがわかる。当時は、恋人同士や夫婦でも、朝になったら別れなければならなかった。この歌も、夜になれば会えるとわかっていても、まだ恋人と一緒にいたいという未練を詠んだもの。「夜が明ければまた日は暮れて、またあなたに会えるとわかっていても、なお恨めしい夜明けである」と訳せる。

2 歌をなぞりましょう。

明けぬれば　暮るるものとは　知りながら　なほ恨めしき　朝ぼらけかな

3 1のお手本を参考に、歌を書きましょう。

百人一首

19日目

会いたい気持ちを伝える さねかづら

三条右大臣（さんじょうのうだいじん）

月　日

1 書写のポイントに気をつけて歌をなぞりましょう。

名にし負はば　逢坂山の　さねかづら　人に知られで　くるよしもがな

（な／おうさかやま／ひと／し　中心スタート　あける　とめる　はねる　はらう　書き順に注意）

『小倉百人一首』二五番

鑑賞

「逢坂山」に「逢う」、「さねかづら」に「さ寝（男女が共寝をするの意）」、「くる」に「来る」と「繰る（たぐり寄せるの意）」と、三つの掛詞（かけことば）が出てくる。訳すと『会って共寝する』という言葉を名に持っているのなら、逢坂山のさねかづらをたぐりよせるように、人知れずあなたのもとへ来る方法があればいいのに」。

2 歌をなぞりましょう。

名にし負はば　逢坂山の　さねかづら　人に知られで　くるよしもがな

3 1のお手本を参考に、歌を書きましょう。

百人一首

20日目

寒さ厳しい晩秋の農民の暮らし

天智天皇（てんじてんのう）

□月□日

1 書写のポイントに気をつけて歌をなぞりましょう。

秋の田のかりほの庵の苫をあらみわが衣手は露にぬれつつ

（あき　た　いお　とま　ころもで　つゆ）

はらう　等間隔に　はねる　形を意識　あける　右側を広く

『小倉百人一首』一番

鑑賞

「秋の田の稲穂の番をする仮小屋は屋根の苫が粗いので、私の袖は夜露にしきりにぬれることだ」という意の歌。この歌は、天智天皇の作とされてはいるが、農作業のつらさが率直に歌われており、実際は天皇が詠んでいないとする説がある。逆に、天皇が詠んだ歌と解釈すれば、農民の苦しい生活ぶりに心を配る慈悲深い歌と考えることができる。

2 歌をなぞりましょう。

秋の田のかりほの庵の苫をあらみわが衣手は露にぬれつつ

3 1のお手本を参考に、歌を書きましょう。

百人一首
21日目

散りゆく桜を惜しんで詠んだ歌

紀友則（きのとものり）

□月□日

1 書写のポイントに気をつけて歌をなぞりましょう。

ひさかたの
光（ひかり）のどけき
春（はる）の日（ひ）に
しづ心（ごころ）なく
花（はな）の散（ち）るらむ

『小倉百人一首』三三番

鑑賞

「日の光がのどかな春の日に、どうして桜の花は落ち着いた心もなく散り急ぐのだろう」と訳せる。散り急ぐ桜の花を惜しんで詠まれた歌。「のどけき」は、天気が穏やかだ、「しづ心なく」は、「落ち着いた心もなく」という意味。風もないうららかな春の日に、桜の花だけが急いで散る様子を、擬人法を使って表現している。

2 歌をなぞりましょう。

ひさかたの
光のどけき
春の日に
しづ心なく
花の散るらむ

3 1のお手本を参考に、歌を書きましょう。

百人一首

22日目

許されざる恋への情熱を詠む

元良親王（もとよししんのう）

□月□日

1 書写のポイントに気をつけて歌をなぞりましょう。

わびぬれば　いまはたおなじ　難波（なには）なる　みをつくしても　逢（あ）はむとぞ思（おも）ふ

あける　ひろく　出す　点は高く　形を意識　あける　そろえる　ひろく　○次につなげる意識で

『小倉百人一首』二〇番

鑑賞

「思いわずらっている今は、身を捨てたも同然である。難波にある『澪標（みおつくし）』ではないが、身をつくしてもあなたに会おうと思う」と訳せる。作者の元良親王が、宇多天皇（うだてんのう）の女御（にょうご）*1「京極御息所（きょうごくのみやすどころ）」との密会を世間に知られたときに、御息所に贈った歌。当時は、比較的自由な恋愛が許されていたものの、天皇の寵姫（ちょうき）*2との恋は厳禁だった。

2 歌をなぞりましょう。

わびぬれば　いまはたおなじ　難波なる　みをつくしても　逢はむとぞ思ふ

3 1のお手本を参考に、歌を書きましょう。

＊1 女御とは、后の位の一つ。皇后、中宮に次ぐ高い身分の女性。

＊2 寵姫とは、天皇がとくに気に入っている女性のこと。

百人一首 23日目

恋の涙を誘う月の光

西行法師（さいぎょうほうし）

月　日

1 書写のポイントに気をつけて歌をなぞりましょう。

なげけとて
月やはものを
思はする
かこち顔なる
わが涙かな

（はねる　そろえる　つき　はらう　おも　等間隔に　がお　中心を意識　はらう　なみだ）

『小倉百人一首』八六番

鑑賞

訳すと、「嘆けといって、月が私に物思いをさせるのだろうか。いやそうではない。本当は恋のせいなのに、月のせいにして、恨めしそうに流れる私の涙だよ」。この歌は、「月前の恋」という題による。西行は出家した身ではあったが、恋の歌を多く残した。また、花や月を題材にするのを好み、後の宗祇（そうぎ）や松尾芭蕉（まつおばしょう）に大きな影響を与えた。

2 歌をなぞりましょう。

なげけとて
月やはものを
思はする
かこち顔なる
わが涙かな

3 1のお手本を参考に、歌を書きましょう。

百人一首

24日目

恋人に会えない時間のつらさを知る

権中納言敦忠（ごんちゅうなごんあつただ）

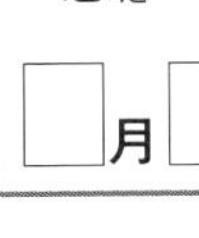

1 書写のポイントに気をつけて歌をなぞりましょう。

逢（あ）ひ見（み）ての
後（のち）の心（こころ）に
くらぶれば
昔（むかし）はものを
思（おも）はざりけり

『小倉百人一首』四三番

（はねる／はらう／出ない／はらう／そろえる／あける／等間隔に／次につなげる意識で）

2 歌をなぞりましょう。

逢ひ見ての
後の心に
くらぶれば
昔はものを
思はざりけり

3 1のお手本を参考に、歌を書きましょう。

鑑賞

「会って契りを結んだ後の切ない気持ちに比べれば、会う前は物思いをしなかったも同然だなあ」という意味。両思いのつらさが率直に詠まれている。両思いになった後は幸せになるかと思いきや、会えない時間を耐えなければならないぶん、よりつらく切ない気持ちになる。片思いもつらいが、両思いはもっとつらいという、微妙な恋心が伝わってくる歌。

百人一首
25日目

夏の短い夜の月を惜しむ

清原深養父（きよはらのふかやぶ）

月　日

1 書写のポイントに気をつけて歌をなぞりましょう。

夏（なつ）の夜（よ）は
まだ宵（よい）ながら
明（あ）けぬるを
雲（くも）のいづこに
月（つき）宿（やど）るらむ

中心を意識
次につなげる意識で
等間隔に
はねる
あける
とめる
はねる
はねる

『小倉百人一首』三六番

鑑賞

夏の夜に、月を眺めて過ごす貴族の風流を感じる歌。夏の夜は短いため、想像以上に早く月が見えなくなる。それを、「夏の夜は、まだ夜になって間もないと思っているうちに明けてしまった。月は西の山の端までたどり着けていないはずだが、雲のどこに宿をとって隠れたのだろう」と訳せるように、月を擬人化してユニークに詠んでいる。

2 歌をなぞりましょう。

夏の夜は
まだ宵ながら
明けぬるを
雲のいづこに
月宿るらむ

3 1のお手本を参考に、歌を書きましょう。

百人一首 26日目

月にも恋人にも冷たくされた悲しみ

壬生忠岑（みぶのただみね）

□月□日

1 書写のポイントに気をつけて歌をなぞりましょう。

ありあけの
つれなく見えし
別れより
あかつきばかり
憂きものはなし

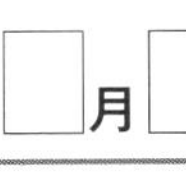

はらう　み　とめる　等間隔に　まっすぐに　形を意識　わか　はねる　とめる　う　中心を意識

『小倉百人一首』三〇番

鑑賞

「つれなく見えし」は、「月」か「人」か。どちらか一方とする説もあるが、両方とする説が多い。後者の場合、冷たい明け方の月と、薄情な別れが重なり、男性が女性の家から帰る時間である暁がつらいと女性を恨めしく思う歌と解釈できる。訳は「夜明けのそっけない月のように、あなたが薄情だったあの別れ以来、暁ほどつらいものはない」となる。

2 歌をなぞりましょう。

ありあけの
つれなく見えし
別れより
あかつきばかり
憂きものはなし

3 1のお手本を参考に、歌を書きましょう。

百人一首
27日目

別れた恋人への皮肉を込めた歌

右近（うこん）

□月□日

1 書写のポイントに気をつけて歌をなぞりましょう。

忘（わす）らるる　身（み）をば思（おも）はず　ちかひてし　人（ひと）のいのちの　惜（お）しくもあるかな

形を意識　等間隔に　はらう　そろえる　とめる　はらう　そろえる

『小倉百人一首』三八番

鑑賞

「あなたに忘れられる自分の身はなんとも思っていないが、不変の愛を誓ったあなたの命が、天罰によって失われることが惜しまれてならない」と訳せる。恋人に捨てられてもなお自分より、誓いを破った天罰が下るであろう相手の身を案ずる恋心を歌ったものともいえるが、相手の心変わりを皮肉っているともいえる。

2 歌をなぞりましょう。

忘らるる　身をば思はず　ちかひてし　人のいのちの　惜しくもあるかな

3 1のお手本を参考に、歌を書きましょう。

百人一首
28日目

秋の長い夜を山鳥の尾に詠み込む

柿本人麻呂（かきのもとのひとまろ）

□月□日

1 書写のポイントに気をつけて歌をなぞりましょう。

あしびきの
山鳥の尾の
しだり尾の
長々し夜を
ひとりかも寝む

やま　どり　ひろく　おお　はねる　等間隔に　まっすぐに　はらう　お　なが　なが　あける　よ　ね　等間隔に

『小倉百人一首』三番

鑑賞

「山鳥の長く垂れた尾のような長夜を、ひとり寂しく寝ることだ」と訳せる。山鳥はキジの仲間で、雄は尾の羽が長く、夜は雄と雌が峰をへだてて寝る習性があるといわれる。山鳥が詠み込まれていることで、当時の人にとってはひとり寂しく寝る秋の夜長がイメージしやすかった。また、実際はよみびとしらずの歌といわれている。

2 歌をなぞりましょう。

あしびきの
山鳥の尾の
しだり尾の
長々し夜を
ひとりかも寝む

3 1のお手本を参考に、歌を書きましょう。

百人一首

29日目

恋焦がれる気持ちを藻塩に重ねる

権中納言定家（ごんちゅうなごんさだいえ）

□月□日

1 書写のポイントに気をつけて歌をなぞりましょう。

来（こ）ぬ人（ひと）を　まつほの浦（うら）の　夕（ゆう）なぎに　焼（や）くや藻塩（もしお）の　身（み）もこがれつつ

あける　形を意識　次につなげる意識で　等間隔に　あける

『小倉百人一首』九七番

鑑賞

「来ない人を待っている私は、松帆の浦の夕なぎの頃に焼く藻塩が焦げるように恋い焦がれているよ」と訳せる。百人一首の選者である藤原定家（ふじわらのさだいえ）（権中納言定家）の作。なかなか来ない恋人を待つ、切ない気持ちを詠んだもの。「まつほ」には「松帆（の浦）」と「待つ」の意味が、「こがれ」には「藻塩が焼け焦げる」という意味と「恋焦がれる」の意味がある。

2 歌をなぞりましょう。

来ぬ人を　まつほの浦の　夕なぎに　焼くや藻塩の　身もこがれつつ

3 1のお手本を参考に、歌を書きましょう。

百人一首

30日目

清く光る月を愛でる歌

左京大夫顕輔（さきょうのだいぶあきすけ）

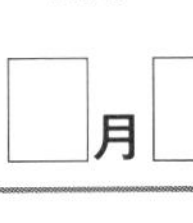
月　日

1 書写のポイントに気をつけて歌をなぞりましょう。

秋風（あきかぜ）に
たなびく雲（くも）の
絶（た）え間（ま）より
もれ出（い）づる月（つき）の
影（かげ）のさやけさ

はらう　そろえる　あける　等間隔に　等間隔に　はらう　一番下は大きめに

『小倉百人一首』七九番

2 歌をなぞりましょう。

秋風に
たなびく雲の
絶え間より
もれ出づる月の
影のさやけさ

3 1のお手本を参考に、歌を書きましょう。

鑑賞

小倉百人一首には月の歌が多く選ばれており、悲しさなどの感情の象徴として詠まれることが多い。その中でも、この歌は「秋の風にたなびく雲の間からもれ出てくる月の光の明るさよ」と訳せるように、月の美しさを素直に詠んでいる。「月の影」は月の光、「さやけさ」は明るく、清く澄んでいる様子をいう。

百人一首 31日目

天女のように美しい舞姫を賞賛する

僧正遍昭（そうじょうへんじょう）

□月□日

1 書写のポイントに気をつけて歌をなぞりましょう。

天つ風（あまつかぜ）雲のかよひ路（くものかよいじ）吹きとぢよ（ふきとじよ）乙女の姿（おとめのすがた）しばしとどめむ

はねる　はらう　あける　そろえる　長く　あける　まっすぐに

『小倉百人一首』一二番

鑑賞

『古今和歌集（こきんわかしゅう）』の詞書（ことばがき）に、「五節の舞姫（ごせちのまいひめ）を見てよめる」とある。五節の舞姫とは、毎年陰暦十一月にある新嘗祭（にいなめさい）の翌日に行われる「豊明節会（とよのあかりのせちえ）」での舞姫のこと。舞姫たちを伝説の天女（てんにょ）に見立てることで、優雅で幻想的な歌となっている。訳すと「空を吹く風よ。雲の中の通り路をふさいでおくれ。天女（のように美しい乙女）の姿を引き留めていたいから」となる。

2 歌をなぞりましょう。

天つ風　雲のかよひ路　吹きとぢよ　乙女の姿　しばしとどめむ

3 1のお手本を参考に、歌を書きましょう。

百人一首

32日目

奈良から献上された美しい桜の花

伊勢大輔（いせのたいふ）

□月□日

1 書写のポイントに気をつけて歌をなぞりましょう。

いにしへの奈良の都の八重桜けふ九重ににほひぬるかな

とめる　なあけるら　あける　みやこ　やえ　ざくら　等間隔に　ここのえ　次につなげる意識で　中心を意識

『小倉百人一首』六一番

鑑賞

「昔栄えた奈良の八重桜が、今日平安の都の宮中で美しく咲いています」という意味。詞書（ことばがき）によると、奈良から宮中に八重桜が献上され、それを題にして即座に詠まれたものである。「けふ」には、「今日」と「京」がかけられ、「いにしへ」と「けふ」、「八重」と「九重（宮中の意）」がそれぞれ対（つい）になっているなど、多くの技巧が凝らされている。

2 歌をなぞりましょう。

いにしへの奈良の都の八重桜けふ九重ににほひぬるかな

3 1のお手本を参考に、歌を書きましょう。

百人一首 33日目

ひとり旅立つ寂しさを詠んだ歌

参議篁（さんぎたかむら）

月　日

1 書写のポイントに気をつけて歌をなぞりましょう。

わたの原（はら）八十島（やそしま）かけて漕（こ）ぎ出でぬと人（ひと）には告げよあまの釣（つ）り舟（ぶね）

はねる　ひろく　等間隔に　中心を意識　長く　あける　はらう

『小倉百人一首』一一番

鑑賞

「大海原に数多くの島を目指して漕ぎ出していったと、京にいる恋しい人に伝えておくれ。漁師の釣り舟よ」と訳せる。作者が隠岐（おき）に流罪（るざい）になった際に詠まれたものである。作者は遣（けん）唐副使（とうふくし）に任命されたが、大使から壊れた船を与えられたことに腹を立て、乗船を拒否。遣唐使を諷刺（ふうし）する漢詩を作った。それが嵯峨天皇（さがてんのう）の怒りにふれ、島流しになった。

2 歌をなぞりましょう。

わたの原八十島かけて漕ぎ出でぬと人には告げよあまの釣り舟

3 1のお手本を参考に、歌を書きましょう。

百人一首
34日目

雪が降り積もる富士山の壮大な景色

山部赤人（やまべのあかひと）

月　日

1 書写のポイントに気をつけて歌をなぞりましょう。

田子（たご）の浦（うら）に
うち出でて見（み）れば
白妙（しろたえ）の
富士（ふじ）の高嶺（たかね）に
雪（ゆき）はふりつつ

形を意識
形を意識
等間隔に
はらう
右側をひろく
等間隔に
等間隔に
少し斜めに

『小倉百人一首』四番

鑑賞

訳すと「田子の浦に出て見れば、富士の高い峰に雪が真っ白に降り積もっている」となり、富士山の雄大さへの感動を率直に表現している。この歌は、『万葉集』に「田子の浦ゆうち出でて見れば真白にそ富士の高嶺に雪は降りける」という元歌があるが、小倉百人一首・二番の「春すぎて……」（→P14）の歌と同様、平安時代に好まれた表現に変えられている。

2 歌をなぞりましょう。

田子の浦に
うち出でて見れば
白妙の
富士の高嶺に
雪はふりつつ

3 1のお手本を参考に、歌を書きましょう。

1 書写のポイントに気をつけて歌をなぞりましょう。

瀬（せ）をはやみ
岩（いわ）にせかるる
滝川（たきがわ）の
われても末（すえ）に
あはむとぞ思（おも）ふ

（書写のポイント：真ん中を狭く／あける／等間隔に／形を意識／次につなげる意識で／そろえる）

『小倉百人一首』七七番

鑑賞

「われても」には「流れが分かれること」と「人と人が別れること」の二つの意味があり、歌を訳すと「川の流れが速いので、岩にせき止められ、流れが二つに分かれてもまた合流するように、今二人が別れても将来また会おう」となる。作者は、保元（ほうげん）の乱で敗れて流罪（るざい）となり、結局京に帰れなかった。その無念も、この歌に込められているかもしれない。

2 歌をなぞりましょう。

瀬をはやみ
岩にせかるる
滝川の
われても末に
あはむとぞ思ふ

3 1のお手本を参考に、歌を書きましょう。

百人一首 36日目

自らの不遇な運命を思う

三条院（さんじょういん）

□月□日

1 書写のポイントに気をつけて歌をなぞりましょう。

心にもあらで憂き世にながらへば恋しかるべき夜半の月かな

（こころ　う　よ　こい　よわ　つき）

斜めにはねる　はらう　そろえる　形を意識　とめる　まっすぐに　等間隔に

『小倉百人一首』六八番

鑑賞

この歌は、作者の三条院が譲位を目前に、月を見ながら詠んだもの。訳すと、「心にもなくこのつらい世の中に生きながらえたなら、そのときは恋しいにちがいない、夜中の月だよ」。三条院は目の病気で失明の危機にあった。それを理由に、藤原（ふじわら）道長（みちなが）は執拗に退位を求め、追い込まれた三条院は天皇の位を譲ることになる。そんなつらい境遇を嘆いた歌。

2 歌をなぞりましょう。

心にもあらで憂き世にながらへば恋しかるべき夜半の月かな

3 1のお手本を参考に、歌を書きましょう。

百人一首

37日目

関所での出会いと別れに人生を見出す

蟬丸（せみまる）

□月□日

1 書写のポイントに気をつけて歌をなぞりましょう。

これやこの　行く（ゆ）も帰る（かえ）も　別れ（わか）ては　知るも知らぬも　逢坂（おうさか）の関（せき）

とめる　次につなげる意識で　等間隔に　形を意識　あける　右を大きく

『小倉百人一首』一〇番

鑑賞

訳すと「ここが都から東国（とうごく）*へ行く人も、都に帰る人も、互いに知る間柄の人も、見知らぬ人も、別れては出会うという逢坂の関である」となる。「逢坂の関」は、近江国（おうみのくに）（滋賀県）と山城国（やましろのくに）（京都府）のあいだの関所のこと。旅に出る人や、見送りの人が日々往来した。盲目の世捨て人であった作者の蟬丸は、人々が行き交う様子から人生の無常を悟った。

2 歌をなぞりましょう。

これやこの　行くも帰るも　別れては　知るも知らぬも　逢坂の関

3 1のお手本を参考に、歌を書きましょう。

＊東国とは、遠江（とおとうみ）・武蔵（むさし）・信濃（しなの）・陸奥（むつ）などの、都（京都）の東にある国の総称。

百人一首
38日目

懐かしい人との一瞬の再会

紫式部（むらさきしきぶ）

月　日

1 書写のポイントに気をつけて歌をなぞりましょう。

めぐり逢（あ）ひて
見（み）しやそれとも
わかぬ間（ま）に
雲（くも）がくれにし
夜半（よわ）の月（つき）かな

『小倉百人一首』五七番

鑑賞

訳すと「めぐり会って、見たものがそれかどうかはっきりわからないうちに雲に隠れてしまった夜中の月だよ」となる。表向きは、月が夜中に突然見えなくなったことを嘆く歌だが、『新古今和歌集（しんこきんわかしゅう）』の詞書（ことばがき）から、月を幼馴染の女友達にたとえているとわかる。久しぶりに会った友達が、急いで帰ってしまったため、その別れを惜しんでいるのである。

2 歌をなぞりましょう。

めぐり逢ひて
見しやそれとも
わかぬ間に
雲がくれにし
夜半の月かな

3 1のお手本を参考に、歌を書きましょう。

百人一首

39日目

懐かしい故郷の月を思い出す

阿倍仲麻呂（あべのなかまろ）

月　日

1 書写のポイントに気をつけて歌をなぞりましょう。

天の原（あまのはら）ふりさけ見れば（み）春日なる（かすが）三笠の山に（みかさのやま）出でし月かも（いでしつき）

あける　はねる　そろえる　形を意識　等間隔に　右を大きく　とめる　等間隔に　まっすぐに

『小倉百人一首』七番

鑑賞

「大空を遠く仰ぎ見ると、美しい月がある。あの月は故郷の春日にある三笠の山に出ていた月だなあ」と訳せる。作者の阿倍仲麻呂は、遣唐留学生（けんとう）として渡唐（とうとう）。官吏として、皇帝に仕えた。三十年以上の滞在の後、日本に帰ることを決意。その送別の宴で詠まれた望郷歌がこれである。しかし帰国の途中で船が漂流し、結局、仲麻呂は帰国できず生涯を終えた。

2 歌をなぞりましょう。

天の原ふりさけ見れば春日なる三笠の山に出でし月かも

3 1のお手本を参考に、歌を書きましょう。

百人一首 40日目

昔と変わらぬ梅の花と変化する人の心

紀貫之（きのつらゆき）

月　日

1 書写のポイントに気をつけて歌をなぞりましょう。

人（ひと）はいさ　心（こころ）も知らず　ふるさとは　花（はな）ぞ昔（むかし）の　香（か）ににほひける

とめる　し　長く　形を意識　ひろく　等間隔に　はらう　上の「に」より少し大きく

『小倉百人一首』三五番

鑑賞

「あなたの心は、どうでしょう。昔なじみのこの里の梅の花は、昔と変わりなくよい香りをただよわせているのに」と訳せる。

作者の紀貫之が、初瀬（はつせ）にある長谷寺（はせでら）にお参りするたびに泊まっていた宿を久しぶりに訪れたとき、「昔のまま宿はあるのにあなたは来ないのですね」と皮肉を言われ、その場に咲いていた梅の花を一枝折って詠んだといわれる歌。

2 歌をなぞりましょう。

人はいさ　心も知らず　ふるさとは　花ぞ昔の　香ににほひける

3 1のお手本を参考に、歌を書きましょう。

百人一首 41日目

心をかき乱す恋人への切実な訴え

河原左大臣（かわらのさだいじん）

□月□日

1 書写のポイントに気をつけて歌をなぞりましょう。

みちのくの しのぶもぢずり たれゆえに 乱（みだ）れそめにし われならなくに

ひろく　そろえる　次につなげる意識で　あける　次につなげる意識で　あける　あける　はらう

『小倉百人一首』一四番

鑑賞

「しのぶもぢずり」とは、陸奥（むつ）の特産品で、乱れ模様に染めた布のこと。「陸奥の国のしのぶもぢずりの模様のように、私の心が乱れはじめているのは、あなたのせいなのだ」と訳せる。私の布の模様を引き合いに出し、つれない相手に対して、自分の気持ちを訴えるのである。作者の河原左大臣こと源融（みなもとのとおる）は、『源氏物語』の主人公のモデルの一人といわれている。

2 歌をなぞりましょう。

みちのくの しのぶもぢずり たれゆえに 乱れそめにし われならなくに

3 1のお手本を参考に、歌を書きましょう。

第2章

俳句
～四季折々を深く味わう～

世界最短の定型詩といわれる「俳句」。五・七・五の十七音で作ること、季語（季節を表す語）を入れることが大きなルールである。江戸時代、松尾芭蕉（まつおばしょう）や小林一茶（こばやしいっさ）などの俳諧（はいかい）にはじまり、明治・大正・昭和時代には、正岡子規（まさおかしき）や高浜虚子（たかはまきょし）などの俳人が活躍した。

俳句 42日目

ほどほどに正月を祝う句

小林一茶（こばやしいっさ）

□月□日

1 書写のポイントに気をつけて句をなぞりましょう。

目出度さも（めでた）
ちう位なり（くらい）
おらが春（はる）

等間隔に
あける
点は高く
等間隔に

『おらが春』

2 句をなぞりましょう。

目出度さも
ちう位なり
おらが春

3 1のお手本を参考に、句を書きましょう。

鑑賞

Q 季語と季節を下の欄に書きましょう。

A

小林一茶が五十七歳のときの作。「ちう位」は、一茶の故郷・信州の方言で「いい加減」の意（「中くらい」とする説もある）。「あまり準備をせず迎えた正月のめでたさは、あやふやなものだが、あれこれ考えず阿弥陀（あみだ）さまに全てお任せして、ほどほどのお祝いでよいではないか」という句。

A……おらが春・春（早春、新年）

俳句

43日目

梅が花開き、春が訪れる喜び

服部嵐雪（はっとりらんせつ）

□月□日

1 書写のポイントに気をつけて句をなぞりましょう。

梅一輪（うめいちりん）一輪ほどの暖かさ（いちりん　あたた）

長く　等間隔に　形を意識　とめる　30°くらいに

『玄峰集』

2 句をなぞりましょう。

梅一輪一輪ほどの暖かさ

3 1のお手本を参考に、句を書きましょう。

鑑賞

Q 季語と季節を下の欄に書きましょう。

A

早春に、香りの強い白や紅色の花を咲かせる梅だが、この句では、前書（まえがき）に「寒梅（かんばい）」とあり、寒い時期に花を咲かせた梅であることがわかる。「寒い中でも咲いた一輪の梅の花の、その色や香りにかすかな暖かさを感じ、春が近づいてきたことを予感した」という意味。

A……寒梅・冬（もしくは梅・春）

俳句 44日目

春のかわいい新芽に見出す仏の世界

川端茅舎（かわばたぼうしゃ）

□月□日

1 書写のポイントに気をつけて句をなぞりましょう。

ぜんまいの
のの字ばかりの
寂光土（じゃっこうど）

あける　はらう　はらう　中心を意識　ひろく

『華厳』

2 句をなぞりましょう。

ぜんまいの
のの字ばかりの
寂光土

3 1のお手本を参考に、句を書きましょう。

鑑賞

Q 季語と季節を下の欄に書きましょう。

A

「寂光土」とは、仏教ですべての人が悟りを開いた、永遠で絶対的な世界のこと。画家を志していた作者の川端茅舎は、観察眼に優れており、「の」の字のような、かわいらしい渦巻き状をしているぜんまいの新芽に、仏の世界を見出した。茅舎は、こうした仏教用語を用いた句を多く残している。

A……ぜんまい・春

俳句 45日目

夏の昼下がりに舞う二匹の蝶

松瀬青々（まつせせいせい）

月　日

1 書写のポイントに気をつけて句をなぞりましょう。

日盛りに蝶のふれ合ふ音すなり

（等間隔に／次につなげる意識で）

『松苗』

2 句をなぞりましょう。

日盛りに蝶のふれ合ふ音すなり

3 1のお手本を参考に、句を書きましょう。

鑑賞

Q 季語と季節を下の欄に書きましょう。

A

前書（まえがき）に「庭前（ていぜん）」とある。「日盛り」は、夏の日中で最も暑い時間のこと。夏の昼下がりの静かな庭で、二匹の蝶がもつれ合うように舞う様子に、作者は蝶の羽がふれ合う音を聞く。その音はごく小さいであろうから、実際は耳で聞いたのではなく、目や心で、蝶の羽がふれ合う響きを感じたのだろう。

A……日盛り・夏

俳句 46日目

夏の終わりを予感する年に一度の行事

正岡子規（まさおかしき）

□月□日

1 書写のポイントに気をつけて句をなぞりましょう。

夜（よる）の露（つゆ）もえて音（おと）あり大文字（だいもんじ）

等間隔に　形を意識　書き順に注意　1 2 3　等間隔に　中心を意識

『寒山落木』

2 句をなぞりましょう。

夜の露もえて音あり大文字

3 1のお手本を参考に、句を書きましょう。

鑑賞

Q 季語と季節を下の欄に書きましょう。

A □

どこか秋の気配を感じさせる句である。「大文字」とは、八月十六日のお盆に行われる精霊送り（しょうりょうおくり）の行事のこと。とくに有名なのが、京都東山（ひがしやま）の如意ヶ嶽（にょいがだけ）などで行われる送り火で、京都の夏の終わりを告げる風物詩。作者の正岡子規も、火が燃える音が聞こえる近さで、夏の終わりを見届けたのだろう。

A……（夜の）露、大文字・秋

俳句 47日目

寂しげに野に咲く花の謙虚さ

高浜虚子（たかはまきょし）

□月□日

1 書写のポイントに気をつけて句をなぞりましょう。

吾（われ）も亦（また）紅（くれない）なりとひそやかに

あける　次につなげる意識で　はねる　ひろく

『句日記』

Q 季語と季節を下の欄に書きましょう。

A □

鑑賞

この句は、「吾亦紅（われもこう）」という植物の名前の由来にちなんでいる。吾亦紅は、桑の実に似た暗紅色（あんこうしょく）の花をつける植物。少し地味な植物ではあるが、古くから歌や句に詠まれている。名前の由来には諸説あるが、「我もまた紅なり」と控えめに主張する姿を想像すると、どこか心ひかれるものがある。

2 句をなぞりましょう。

吾も亦紅なりとひそやかに

3 1のお手本を参考に、句を書きましょう。

A……吾亦紅・秋

俳句
48日目

人生に振りかかる冬の冷たい雨

宗祇(そうぎ)

月　日

1 書写のポイントに気をつけて句をなぞりましょう。

形を意識

世(よ)にふるもさらに時雨(しぐれ)の宿(やど)りかな

長く
あける
次につなげる意識で
等間隔に

『萱草』

鑑賞

Q 季語と季節を下の欄に書きましょう。

A

「時雨」とは、初冬の頃のパラパラと降ったり止んだりする冷たい雨のこと。人の世のはかなさのたとえとなることが多い。この句も「戦乱の多いこの世は、まるで時雨をやり過ごす仮の宿のようなものだ」という意味で、戦乱の時代に生きた作者の、流浪の人生を詠んだものである。

2 句をなぞりましょう。

世にふるもさらに時雨の宿りかな

3 1のお手本を参考に、句を書きましょう。

A……時雨・冬

俳句 49日目

旅の途中で詠まれた句

種田山頭火（たねださんとうか）

月　日

1 書写のポイントに気をつけて句をなぞりましょう。

分け入っても分け入っても青い山

わ　い　あける　わ　い　同じくらいの高さに　あお　やま　等間隔に　あける

『草木塔』

鑑賞

Q 季語と季節を下の欄に書きましょう。

A

前書（まえがき）に「大正十五年四月、解くすべもない惑ひを背負うて、行乞流転（ぎょうこつるてん）の旅に出た」とある。「行乞」とは、僧侶が托鉢（たくはつ）をして歩くこと。作者の種田山頭火は、生涯放浪した人物として知られる。どれだけ進んでも山ばかりが続く旅を詠んだこの句は、なかなか答えにたどり着けない人生ともとれる。

2 句をなぞりましょう。

分け入っても分け入っても青い山

3 1のお手本を参考に、句を書きましょう。

A……青い山（もしくは無季語）・夏

俳句 50日目

風に負けず力強く咲く桜

村上鬼城（むらかみきじょう）

月　日

1 書写のポイントに気をつけて句をなぞりましょう。

ゆさゆさと大枝ゆるる桜かな

つなげる気持ちで　長く　あける　形を意識　形を意識

『定本鬼城句集』

鑑賞

Q 季語と季節を下の欄に書きましょう。

A

風が吹いても散ることなく咲き満ちている桜を詠んだ句。「ゆさゆさ」という言葉から、たくさんの花が枝につき、重たそうに揺れている様子が目に浮かぶ。古くから、桜はそのはかなさがしばしば詩歌のテーマとなってきたが、この句には、満開の桜の力強さが感じられる。

2 句をなぞりましょう。

ゆさゆさと大枝ゆるる桜かな

3 1のお手本を参考に、句を書きましょう。

A……桜・春

俳句 51日目

最上川のダイナミックな水の流れ

松尾芭蕉（まつおばしょう）

月　日

1 書写のポイントに気をつけて句をなぞりましょう。

五月雨を　あつめて早し　最上川

さみだれを　あつめてはやし　もがみがわ

形を意識　等間隔に　はらう　あける　あける　等間隔に

『おくのほそ道』

2 句をなぞりましょう。

五月雨を　あつめて早し　最上川

3 1のお手本を参考に、句を書きましょう。

鑑賞

Q 季語と季節を下の欄に書きましょう。

A

最上川は、日本三急流のうちの一つ。この句は、川下りの船の中から詠んだものだが、降り続いた雨によって増水した、その川の勢いはすさまじいものだっただろう。「五月雨」とは、六月頃の雨のこと。「梅雨（つゆ）」が主に五月雨の降る季節的な気候を指すのに対し、五月雨は雨そのものをいう。

A……五月雨・夏

俳句
52日目

障子の穴からのぞく天の川の美しさ

小林一茶（こばやしいっさ）

□月□日

1 書写のポイントに気をつけて句をなぞりましょう。

うつくしや障子（しょうじ）の穴（あな）の天（あま）の川（がわ）

長く
中心を意識
たおしすぎない
等間隔に

『七番日記』

2 句をなぞりましょう。

うつくしや障子の穴の天の川

3 1のお手本を参考に、句を書きましょう。

鑑賞

天の川といえば、年に一度だけ会える織姫と彦星の伝説がある。室町時代頃まで、天の川は七夕伝説をテーマとする句の中で詠まれたが、江戸時代には、天の川そのものについて詠んだ句も出てきた。この句も伝説とは関係なく、障子の破れた穴から見える、天の川の美しさを率直に詠んでいる。

Q 季語と季節を下の欄に書きましょう。

A

A……天の川・秋

俳句

53日目

思いがけない木の香へのおどろき

与謝蕪村（よさぶそん）

□月□日

1 書写のポイントに気をつけて句をなぞりましょう。

斧（おの）入れて香（か）におどろくや冬木立（ふゆこだち）

そろえる　等間隔に　点は高く　はらう　あける　あける

『秋しぐれ』

鑑賞

Q 季語と季節を下の欄に書きましょう。

A

葉を落として冬をしのぐ木をすべて「冬木（ふゆき）」といい、立ち並ぶ冬木を「冬木立」という。冬木は、葉もなく一見枯れているかのようにも見えるが、斧を入れると、新鮮な木の香りがして生きていることを実感する。作者の与謝蕪村は、そんな冬木の生命力への感動を句にしたのである。

2 句をなぞりましょう。

斧入れて香におどろくや冬木立

3 1のお手本を参考に、句を書きましょう。

A……冬木立・冬

俳句 54日目

たくましく野に咲く可憐な花

夏目漱石（なつめそうせき）

月　日

1 書写のポイントに気をつけて句をなぞりましょう。

菫（すみれ）程（ほど）な小（ちい）さき人（ひと）に生（うま）れたし

『漱石俳句集』

等間隔に　低めに　とめる　はらう　長く　次につなげる意識で

2 句をなぞりましょう。

菫程な小さき人に生れたし

3 1のお手本を参考に、句を書きましょう。

鑑賞

Q 季語と季節を下の欄に書きましょう。

A

作者の夏目漱石は、『吾輩は猫である』などで有名な小説家であるが、大学予備門で正岡子規（まさおかしき）と知り合い、俳句も学んでいる。この句は、「このようになりたい」という願いを素直に詠んだ句。ひかえめでありながら、可憐（かれん）な花を咲かせる菫の美しさに、漱石も憧れたのだろう。

A……菫・春

俳句
55日目

少しはかなさがある昼寝からの目覚め

川端茅舎（かわばたぼうしゃ）

月　日

1 書写のポイントに気をつけて句をなぞりましょう。

昼寝覚（ひるねざめ）うつしみの空（そら）あをあをと

等間隔に　等間隔に　等間隔に　あける　まっすぐに　中心を意識　はらう　そろえる

『川端茅舎句集』

2 句をなぞりましょう。

昼寝覚うつしみの空あをあをと

3 1のお手本を参考に、句を書きましょう。

鑑賞

Q 季語と季節を下の欄に書きましょう。

A

「昼寝覚」とは、昼寝から目覚めること。朝の目覚めとは違い、昼の目覚めには、少しはかなげなニュアンスがある。俳句では、「昼寝」といえば、夏がイメージされる。夏は日中の疲れが激しく、夜は寝苦しいため、体力の回復に昼寝が役に立つとされているからである。

A……昼寝覚・夏

俳句
56日目

中秋の名月が部屋を明るく照らす

宝井其角（たからいきかく）

月　日

1 書写のポイントに気をつけて句をなぞりましょう。

名月（めいげつ）や畳（たたみ）の上（うえ）に松（まつ）の影（かげ）

離す　等間隔に　あける　はらう　長めに

『雑談集』

鑑賞

Q 季語と季節を下の欄に書きましょう。

A

この「名月」は、陰暦八月十五夜の月で、最も美しいとされる中秋（ちゅうしゅう）の満月のこと。中秋の名月の光がさし込んできて、畳の上にくっきりと松の影ができている様子を詠んだ句で、月の明るさが伝わってくる。作者の宝井其角は、都会的で派手な作風である、洒落風（しゃれふう）（江戸を中心とした俳諧の流派）の祖。

2 句をなぞりましょう。

名月や畳の上に松の影

3 1のお手本を参考に、句を書きましょう。

A……名月・秋

俳句 57日目

冬景色の中、目刺に見る海の美しさ

芥川龍之介（あくたがわりゅうのすけ）

□月□日

1 書写のポイントに気をつけて句をなぞりましょう。

木（こ）がらしや目刺（めざし）にのこる海（うみ）の色（いろ）

あける　まっすぐに　等間隔に　斜め下　形を意識　中心から書き始める　形を意識

『澄江堂句集』

鑑賞

Q 季語と季節を下の欄に書きましょう。

A

「木がらし」とは、十一月前後に吹く冷たく強い風のこと。この句の意味は、「木枯らしが吹く寒空の下、目刺のからだを見ると、かつて魚たちが自由に泳ぎ回っていた青い海の色が残っていた」となる。作者の芥川龍之介は、俳句については大正七年ごろから高浜虚子（たかはまきょし）に師事していた。

2 句をなぞりましょう。

木がらしや目刺にのこる海の色

3 1のお手本を参考に、句を書きましょう。

A……木がらし・冬

俳句
58日目

年の区切りがあっても一貫する時の流れ

高浜虚子（たかはまきょし）

□月□日

1 書写のポイントに気をつけて句をなぞりましょう。

去年今年（こぞことし）貫く（つらぬ）棒（ぼう）の如（ごと）きもの

長く　等間隔に　長く　等間隔に　形を意識　次につなげる意識で

『六百五十句』

鑑賞

Q 季語と季節を下の欄に書きましょう。

A

「年が明けると、暦上では別の年とされる。昨日は去年になり、今日は今年になって、漠然と棒のようなものでつながっていて、決して区切れるものではない」という意。「去年今年」という言葉には、あっというまに年が去って新しい年が来ることへの感慨がある。

2 句をなぞりましょう。

去年今年貫く棒の如きもの

3 1のお手本を参考に、句を書きましょう。

A……去年今年・新年

俳句
59日目

一面に広がる菜の花畑の大景

与謝蕪村（よさぶそん）

□月□日

1 書写のポイントに気をつけて句をなぞりましょう。

菜（な）の花（はな）や月（つき）は東（ひがし）に日（ひ）は西（にし）に

あける
斜めに
等間隔に
等間隔に
斜めに

『蕪村句集』

鑑賞

Q 季語と季節を下の欄に書きましょう。

A

夕方の菜の花畑のダイナミックな風景を、画家でもあった作者・与謝蕪村が、絵画的な構図で描いた句である。菜の花は、見渡す限り黄色の花が咲き広がっているイメージで詠まれることが多い。東の空から月がのぼり、西に夕日が沈むという位置関係から、満月の前後であるとわかる。

2 句をなぞりましょう。

菜の花や月は東に日は西に

3 1のお手本を参考に、句を書きましょう。

A……菜の花・春

俳句 60日目

小さな鳥へのやさしい気持ち

小林一茶(こばやしいっさ)

□月□日

1 書写のポイントに気をつけて句をなぞりましょう。

雀(すずめ)の子(こ) そこのけそこのけ 御馬(おうま)が通(とお)る

出す　ひろく　あける　はねる

『おらが春』

鑑賞

Q 季語と季節を下の欄に書きましょう。

A □

「雀の子」は、古くからかわいがられてきた、身近な春の小鳥である。この句は、雀の子にやさしく注意を促すものとする説、おもちゃの馬に乗って遊ぶ子どもたちの様子を詠んだものとする説があるが、いずれにしても、作者の、小さなものに対するやさしさが感じられる。

2 句をなぞりましょう。

雀の子 そこのけそこのけ 御馬が通る

3 1のお手本を参考に、句を書きましょう。

A……雀の子・春

俳句 61日目

夏の気候をテーマにした句

正岡子規（まさおかしき）

月　日

1 書写のポイントに気をつけて句をなぞりましょう。

夏嵐（なつあらし）机上（きじょう）の白紙（はくし）飛（と）びつくす

きれいな弓形に

等間隔に

平行に

長く

『寒山落木』

2 句をなぞりましょう。

夏嵐机上の白紙飛びつくす

3 1の手本を参考に、句を書きましょう。

鑑賞

Q 季語と季節を下の欄に書きましょう。

A

夏の季節風には、「南風（みなみかぜ）」「薫風（くんぷう）」など、特別なものがあるが、「夏嵐」は、夏に南、あるいは東南から吹いてくる風で、特別に強いものをこのように呼ぶ。からっとしていない、湿気を含んだ風ではあるが、夏の強い風が机の上の紙を勢いよく吹き飛ばす様子には、爽快感もある。

A……夏嵐・夏

俳句
62日目

織姫と彦星が出会う舟を思い浮かべて

臼田亜浪（うすだあろう）

月　日

1 書写のポイントに気をつけて句をなぞりましょう。

七夕（たなばた）や灯（とも）さぬ舟（ふね）の見（み）えてゆく

中心から書き始める
高く
向きに注意
等間隔に

『亜浪句鈔』

鑑賞

Q 季語と季節を下の欄に書きましょう。

A

織姫と彦星が年に一度会うという七夕伝説では、織姫と彦星は月の舟に乗って会うという。様々な解釈ができるが、この句で詠まれている「舟」が、織姫と彦星が乗る月の舟であると考えてみれば、「見えないはずの月の舟が天の川を渡っていく様子が見える気がする」といった意味の句と捉えられる。

2 句をなぞりましょう。

七夕や灯さぬ舟の見えてゆく

3 1のお手本を参考に、句を書きましょう。

A……七夕・秋

俳句 63日目

蟬の声が引き立てる静寂な空間

松尾芭蕉（まつおばしょう）

□月□日

1 書写のポイントに気をつけて句をなぞりましょう。

閑（しず）かさや岩（いわ）にしみ入（い）る蟬（せみ）の声（こえ）

はねる　とめる　はらう　形を意識　等間隔に

『おくのほそ道』

鑑賞

Q 季語と季節を下の欄に書きましょう。

A

作者の松尾芭蕉が、『おくのほそ道』の旅の途中で、立石寺（りっしゃくじ）に立ち寄った際に詠んだ句。初案は「山寺や石にしみつく蟬の声」と、静寂を感じるものではない。ここから推敲（すいこう）を重ねて、今の形になった。蟬の声という音によって、周囲の静けさが引き立てられている。

2 句をなぞりましょう。

閑かさや岩にしみ入る蟬の声

3 1のお手本を参考に、句を書きましょう。

A……蟬・夏

俳句 64日目

雪が降る日の静かな会話

室生犀星（むろうさいせい）

□月□日

1 書写のポイントに気をつけて句をなぞりましょう。

ゆきふると　いひしばかりの　人（ひと）しづか

次につなげる意識で　まっすぐに　ひろく　はらう　はらう　はねる

『犀星発句集』

鑑賞

Q 季語と季節を下の欄に書きましょう。

A

「外では雪が降っている中、部屋で二人きり。『雪が降っているわね』と女性が一言言うと、そのまま二人は黙り込んで、静寂が訪れた」という句である。作者の室生犀星は、詩人、小説家として有名であるが、魚眠洞（ぎょみんどう）と称して、十五歳から俳句も作っていたという。

2 句をなぞりましょう。

ゆきふると　いひしばかりの　人しづか

3 1のお手本を参考に、句を書きましょう。

A……ゆき（雪）・冬

俳句 65日目

身にしみる春先の肌寒さ

村上鬼城（むらかみきじょう）

月　日

1 書写のポイントに気をつけて句をなぞりましょう。

世（よ）を恋（こ）うて人（ひと）を恐（おそ）るる余（よ）寒（かん）かな

形を意識　はらう　そろえる　中心を意識　あける　あける　とめる

『鬼城句集』

Q 季語と季節を下の欄に書きましょう。

A

鑑賞

「余寒」とは、寒が明けてから、なお残る寒さをいう。この句には、世の中と関わりたいと思いながらも、人間関係に思い悩む気持ちが表現されている。作者の村上鬼城は、正岡子規（まさおかしき）に文通によって指導を受け、のちに高浜虚子（たかはまきょし）らに認められた。耳を病み、苦難が多かった人生について詠んだ句で知られる。

2 句をなぞりましょう。

世を恋うて人を恐るる余寒かな

3 1のお手本を参考に、句を書きましょう。

A……余寒・春

俳句 66日目

夫婦の何気ないやりとりを切り取る

高浜虚子（たかはまきょし）

□月□日

1 書写のポイントに気をつけて句をなぞりましょう。

初蝶来（はつちょうく） 何色と問ふ（なにいろととふ） 黄と答ふ（きとこたふ）

広めに　長めに　あける　次につなげる意識で

『六百五十句』

鑑賞

Q 季語と季節を下の欄に書きましょう。

A

「初蝶」とは、その年に初めて見る蝶のこと。この句の初案では、「何色と問ふ」の部分が「何色と問はれ」となっており、初蝶を見つけたのは作者、蝶の色を尋ねたのは妻と考えられる。このとき、作者は七十二歳。簡単な言葉でも通じ合える、老夫婦の会話がどこか微笑ましい。

2 句をなぞりましょう。

初蝶来 何色と問ふ 黄と答ふ

3 1のお手本を参考に、句を書きましょう。

A……初蝶・春

俳句

67日目

人との別れを季節との別れに重ねて

松尾芭蕉（まつおばしょう）

月　日

1 書写のポイントに気をつけて句をなぞりましょう。

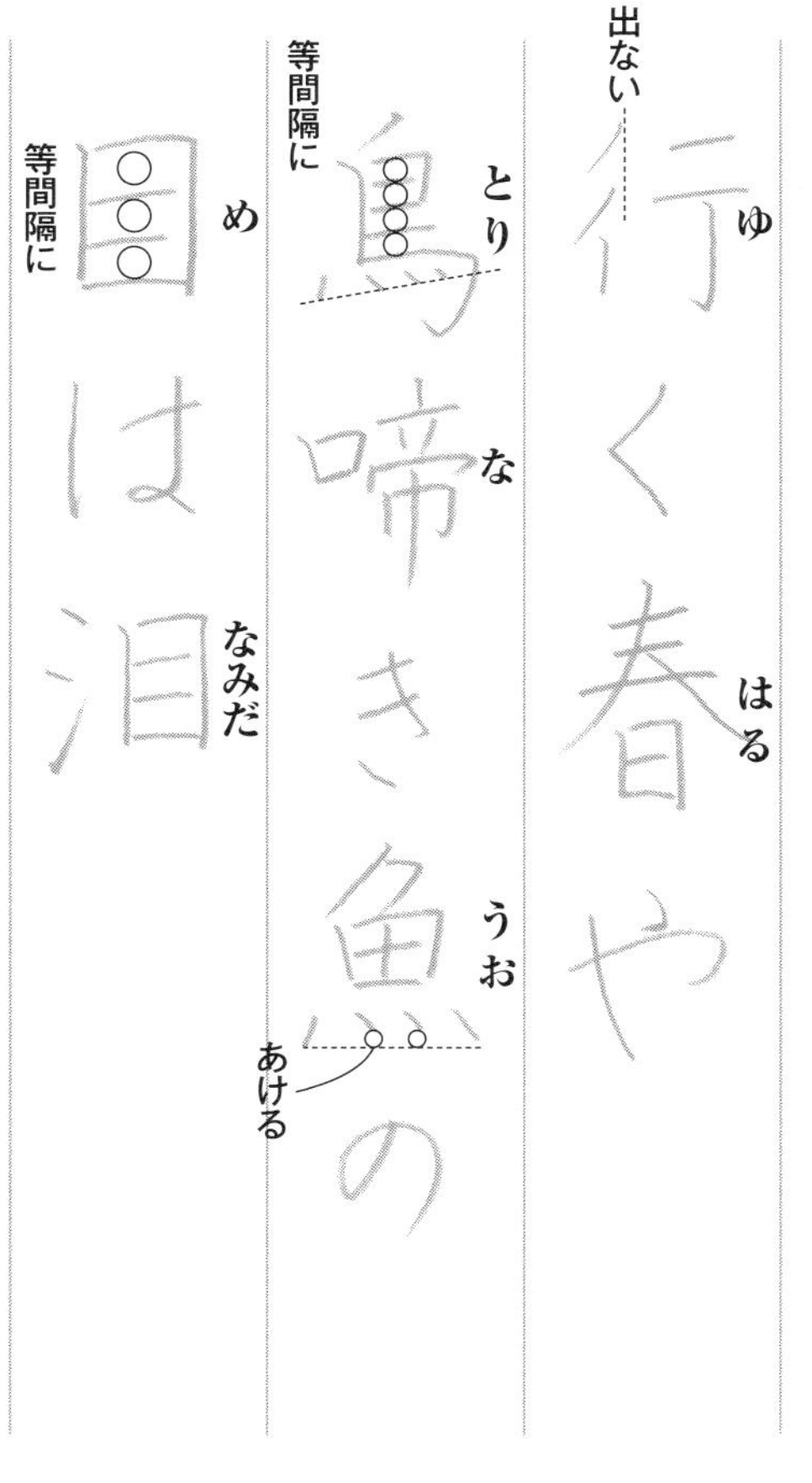

行く（ゆ）春（はる）や

鳥（とり）啼（な）き魚（うお）の

目（め）は泪（なみだ）

出ない

等間隔に

あける

等間隔に

『おくのほそ道』

鑑賞

Q 季語と季節を下の欄に書きましょう。

A

この句は、作者の松尾芭蕉がこれから『おくのほそ道』の旅に出るというとき、見送りにきた人々へ贈った別れの句である。「行く春」とは、まさに終わろうとしている春のこと。春が終わっていくのを鳥や魚が悲しむように、芭蕉は人々との別れを惜しんだのである。

2 句をなぞりましょう。

行く春や

鳥啼き魚の

目は泪

3 1のお手本を参考に、句を書きましょう。

A……行く春・春

俳句 68日目

霜がついた美しい菊の花を詠んだ句

宮沢賢治（みやざわけんじ）

月　日

1 書写のポイントに気をつけて句をなぞりましょう。

水（みず）霜（しも）をたもちて菊（きく）の重（おも）さかな

あける　長めに　次につなげる意識で　そろえる　あける　等間隔に　はねる

『宮沢賢治全集』

鑑賞

Q 季語と季節を下の欄に書きましょう。

A

作者に、菊花品評会の副賞として依頼されたうちの一句。「水霜」とは、露が凍り、ほとんど霜のようになったもの。夜間で菊についた露が、朝の空気で冷やされて霜となり、菊を重たくしているように見える。作者の宮沢賢治は詩人としてよく知られており、残された俳句は三十ほどで貴重である。

2 句をなぞりましょう。

水霜をたもちて菊の重さかな

3 1のお手本を参考に、句を書きましょう。

A……菊（もしくは水霜）・秋

俳句 69日目

冬景色の中で見つけたあたたかな希望

高浜虚子（たかはまきょし）

月　日

1 書写のポイントに気をつけて句をなぞりましょう。

遠（とお）山（やま）に日（ひ）の当（あた）りたる枯（かれ）野（の）かな

あける　あける　等間隔に　等間隔に　はねる　斜めに

『五百句』

鑑賞

Q 季語と季節を下の欄に書きましょう。

A

「冬枯れの野原にいると、遠くの山に日が当たっているのが見えた」という句。作者自身はこの句の意味について「人生観とまでいうのは月並みだ」と言ったが、寒々とした中で見つけたあたたかみに、「今は人生が暗く思えても未来は明るくなる」という希望を見出すこともできる。

2 句をなぞりましょう。

遠山に日の当りたる枯野かな

3 1のお手本を参考に、句を書きましょう。

A……枯野・冬

俳句 70日目

土蔵にさすささやかな初日の出

土蔵からすぢかひにさすはつ日かな
小林一茶（こばやしいっさ）

□月□日

1 書写のポイントに気をつけて句をなぞりましょう。

土（ど）蔵（ぞう）からすぢかひにさすはつ日（ひ）かな

形を意識　反る　はらう　はらう　とめる　等間隔に

『八番日記』

2 句をなぞりましょう。

土蔵からすぢかひにさすはつ日かな

3 1のお手本を参考に、句を書きましょう。

鑑賞

Q 季語と季節を下の欄に書きましょう。

A

「はつ日」とは、初日の出のこと。この句は、42日目「目出度（めでた）さも……」（→P50）の句と同じ文政（ぶんせい）二年（一八一九年）に詠まれた。初日を拝むために海辺や高地へ出かける風習もあるが、この年、正月をあまり盛大に祝わなかったという一茶にとっては、ちょうどよい初日の出だったかもしれない。

A……はつ日・新年

俳句

71日目

鮮やかな椿の花の色が印象的

河東碧梧桐（かわひがしへきごとう）

□月□日

1 書写のポイントに気をつけて句をなぞりましょう。

赤（あか）い椿（つばき）白（しろ）い椿（つばき）と落（お）ちにけり

あける　長く　中心から　そろえる　次につなげる意識で　長くはらう

『新俳句』

2 句をなぞりましょう。

赤い椿白い椿と落ちにけり

3 1のお手本を参考に、句を書きましょう。

鑑賞

Q 季語と季節を下の欄に書きましょう。

A

椿の花は、散るときに花全体がぽとりと落ちるのが特徴。赤白二本の椿の木の下には、それぞれ、赤い花ばかり、白い花ばかりが落ちるわけである。落花の様子を静的に詠んだこの句は、正岡子規（まさおかしき）が「極めて印象の明瞭なる句」と評したように、その色の対照が印象的である。

A……椿・春

俳句 72日目

ゆったりとした春の日の出来事

芝不器男（しばふきお）

□月□日

1 書写のポイントに気をつけて句をなぞりましょう。

永き日のにはとり柵を越えにけり

（ながきひのにはとりさくをこえにけり）

あける　とめる　等間隔に　長く　なめらかに　次につなげる意識で

『芝不器男句集』

鑑賞

Q 季語と季節を下の欄に書きましょう。

A □

「永き日」とは、冬の短かった日が春になって長く感じられること。春ののどかな雰囲気が伝わってくる言葉である。この句のポイントとなるのは鶏が柵を越える様子だが、「永き日」と対比させて勢いよく飛び越えたとする説と、「永き日」と同じく、ゆったりと飛び越えたとする説がある。

2 句をなぞりましょう。

永き日のにはとり柵を越えにけり

3 1のお手本を参考に、句を書きましょう。

A……永き日・春

俳句

73日目

柿と奈良の絶妙な組み合わせ

正岡子規（まさおかしき）

月　日

1 書写のポイントに気をつけて句をなぞりましょう。

柿（かき）くへば鐘（かね）が鳴（な）るなり法（ほう）隆（りゅう）寺（じ）

とめる　そろえる　斜めに　中心を意識　あける

『獺祭書屋俳句帖抄』

2 句をなぞりましょう。

柿くへば鐘が鳴るなり法隆寺

3 1のお手本を参考に、句を書きましょう。

鑑賞

Q 季語と季節を下の欄に書きましょう。

A

この句は、作者・正岡子規が、松山から帰京する途中に立ち寄った奈良で詠まれた。前書（まえがき）には「法隆寺の茶店（ちゃみせ）に憩（いこ）ひて」とあるが、子規が実際に聞いた鐘の音は東大寺のものだったといわれている。子規は、俳句の新しい試みとして、好物の柿と古都奈良との組み合わせを考えていた。そのうちの一作。

A……柿・秋

俳句
74日目

江戸時代の夏の風流な夜

加賀千代女（かがのちよじょ）

□月□日

1 書写のポイントに気をつけて句をなぞりましょう。

川（かわ）ばかり闇（やみ）は流（なが）れて蛍（ほたる）かな

等間隔に　はらう　ひろく

『千代尼句集』

2 句をなぞりましょう。

川ばかり闇は流れて蛍かな

3 1のお手本を参考に、句を書きましょう。

鑑賞

Q 季語と季節を下の欄に書きましょう。

A

この句は、蛍が光る川辺を詠んだもの。作者の加賀千代女は、江戸時代中期の女流俳人である。彼女の時代には、夜の川辺は真っ暗で、川はまるで闇が流れているようだったのであろう。夜の水辺を光りながら飛び交う蛍は、夏の風物詩として、古くから愛でられている。

A……蛍・夏

俳句 75日目

寒さや疲れを癒す ふとんのぬくもり

松瀬青々（まつせせいせい）

月　日

1 書写のポイントに気をつけて句をなぞりましょう。

我（わ）が骨（ほね）のゆるぶ音（おと）する蒲団（ふとん）かな

反る　等間隔に　あける　等間隔に　1：2のバランスに

『松笛』

鑑賞

Q 季語と季節を下の欄に書きましょう。

A

寒さを防ぐための寝具であるふとんは、冬を想起させるアイテムで、あたたかさやぬくもりをイメージさせる言葉である。この句は、「冷える夜にふとんの中に入ると、そのあたたかさで体の骨がゆるむような感じがした」という意味。疲れてふとんに入ったときの、脱力感が伝わってくる。

2 句をなぞりましょう。

我が骨のゆるぶ音する蒲団かな

3 1のお手本を参考に、句を書きましょう。

A……蒲団・冬

俳句

76日目

旅寝の生活を続ける 年の暮れ

松尾芭蕉（まつおばしょう）

月　日

1 書写のポイントに気をつけて句をなぞりましょう。

年（とし）くれぬ　笠着（かさき）て草鞋（わらじ）　はきながら

あける　等間隔に　長く　はらう　ひろく　次につなげる意識で

『野ざらし紀行』

鑑賞

文学行脚のため漂泊の生活を続けていた、作者・松尾芭蕉。貞享（じょうきょう）元年（一六八四年）十二月二十五日、芭蕉は故郷の伊賀上野（いがうえの）にたどり着き、この句を詠んだ。「笠や草鞋を身につけたままの旅姿で年の暮れを迎えた」というこの句には、故郷でさえ仮の宿と考える、芭蕉の精神が感じられる。

Q 季語と季節を下の欄に書きましょう。

A

2 句をなぞりましょう。

年くれぬ笠着て草鞋はきながら

3 1のお手本を参考に、句を書きましょう。

A……年くる・冬

第3章

和歌

～日本情緒を楽しむ～

「和歌」とは、日本に古くからある詩歌の形式のことで、とくに、五・七・五・七・七の三十一音からなる歌を指す。素朴な生活の歌から、技巧を凝らした恋の歌、自然の美しさを描写する歌など様々なものがあり、時代によって題材や表現に特色がある。

和歌 77日目

今も昔も変わらない 子を思う気持ち

山上憶良（やまのうえのおくら）

月　日

1 書写のポイントに気をつけて歌をなぞりましょう。

銀（しろかね）も金（くがね）も玉（たま）も何（なに）せむにまされる宝（たから）子（こ）にしかめやも

あける　はねる　はらう　形を意識　等間隔に　まっすぐに　長く

『万葉集』八〇三番

2 歌をなぞりましょう。

銀も金も玉も何せむにまされる宝子にしかめやも

3 1のお手本を参考に、歌を書きましょう。

鑑賞

「子らを思ふ歌一首」と題して詠まれた「瓜（うり）食（は）めば子（こ）ども思（おも）ほゆ栗（くり）食（は）めばまして偲（しぬ）はゆ……」の反歌（はんか）*。「銀も金も玉も、優れた宝である子どもに勝るだろうか。いやそんなことはない」という意味で、子を思う親心を詠んでいる。作者の山上憶良は、この歌のように妻子に対する愛情をテーマにした歌や、苦しい生活の現状をテーマにした歌を多く残した。

＊反歌とは、長歌（合計七句以上からなる長い歌）の後に添える歌。

和歌 78日目

年を重ねるよさを詠んだ歌

よみびとしらず

□月□日

1 書写のポイントに気をつけて歌をなぞりましょう。

物皆は新たしき良しただしくも人は古り行くよろしかるべし

（もの みな あら よ ひと ふ ゆ）

等間隔に　等間隔に　あける　はらう　そろえる　まっすぐに　はらう　中心を意識

『万葉集』一八八五番

鑑賞

知識や経験を重ねていくことで、人間はよさが出てくる。「物はどれも新しいものがよいが、人間は年を重ねて深みが増した老人こそがよい」という意味の歌である。『万葉集』では、この歌の一つ前に掲載されている「冬過ぎて春し来れば年月は新たなれども人は古りゆく」という歌と対比させていると考えられる。

2 歌をなぞりましょう。

物皆は新たしき良しただしくも人は古り行くよろしかるべし

3 1のお手本を参考に、歌を書きましょう。

和歌
79日目

変わっていく人間のはかなさ

紀友則（きのとものり）

□月□日

1 書写のポイントに気をつけて歌をなぞりましょう。

色も香もおなじ昔にさくらめど年ふる人ぞあらたまりける

（いろ）（か）（むかし）（とし）（ひと）

『古今和歌集』五七番

鑑賞

「桜の花は昔と同じように咲くだろうが、人間は年を重ねて姿が変わり、新しい人にとって代わられていく」と訳せる。これは、劉希夷（りゅうきい）の漢詩にある「年年歳歳花相似たり、歳歳年年人同じからず」（ねんねんさいさいはなあいにたり、さいさいねんねんひとおなじからず）と同様で、変わらない桜の花の色や香りと比べ、年老いて新しい人に代わられていく、人間の無常さを嘆いている。

2 歌をなぞりましょう。

色も香もおなじ昔にさくらめど年ふる人ぞあらたまりける

3 1のお手本を参考に、歌を書きましょう。

和歌

80日目

かすかな音にも心を動かす乙女心

額田王（ぬかたのおおきみ）

月　日

1 書写のポイントに気をつけて歌をなぞりましょう。

君（きみ）待（ま）つと　わが恋（こ）ひをれば　わが屋戸（やど）の　すだれ動（うご）かし　秋（あき）の風（かぜ）吹（ふ）く

そろえる　あける　はねる　はらう　等間隔に　あける　まっすぐに　形を意識

『万葉集』四八八番

2 歌をなぞりましょう。

君待つと　わが恋ひをれば　わが屋戸の　すだれ動かし　秋の風吹く

3 1のお手本を参考に、歌を書きましょう。

鑑賞

「あなたが来るのを恋しく待っていると、私の家のすだれを動かして秋の風が吹くよ」と訳せる。恋人を待つときは、すだれが動く小さな音でも「彼が来た」と思って胸をときめかせ、しかし、それが風によるものとわかるとがっかりする。そんな一喜一憂（いっきいちゆう）する恋心を詠んでいる。この歌は、作者の額田王が、天智天皇（てんじてんのう）を思って詠んだもの。

和歌

81日目

懐かしい人を思い出す花の香り

よみびとしらず

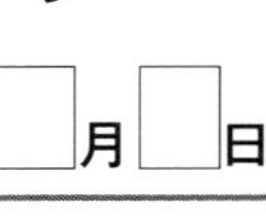

1 書写のポイントに気をつけて歌をなぞりましょう。

さつきまつ
花（はな）たちばなの
香（か）をかげば
昔（むかし）の人（ひと）の
袖（そで）の香（か）ぞする

『古今和歌集』一三九番

鑑賞

訳すと「五月を待って咲く花橘（はなたちばな）の香りをかぐと、昔懐かしい人の袖の香りがする」。平安時代の貴族たちは、衣服に香をたきしめており、その香りは特定の人と結びつけて考えられた。作者の昔親しんだ人が、花橘の香りに似た香をたきしめていて、その香りが、作者に昔を呼び起こさせたのだろう。この歌以後、花橘は昔をしのばせるものとなった。

2 歌をなぞりましょう。

さつきまつ
花たちばなの
香をかげば
昔の人の
袖の香ぞする

3 1のお手本を参考に、歌を書きましょう。

和歌 82日目

かきつばたの五文字を頭にすえて詠んだ歌

在原業平（ありわらのなりひら）

□月□日

1 書写のポイントに気をつけて歌をなぞりましょう。

唐衣（からころも）　きつつなれにし　つましあれば　はるばるきぬる　旅（たび）をしぞ思（おも）ふ

『古今和歌集』四一〇番

中心線をずらす　あける　はらう　あける　はらう　左側を長く　中心を意識　形を意識　下げる　あける

2 歌をなぞりましょう。

唐衣　きつつなれにし　つましあれば　はるばるきぬる　旅をしぞ思ふ

3 1のお手本を参考に、歌を書きましょう。

鑑賞

「唐衣を着慣れたように、慣れ親しんだ妻が都にいるので、この旅のつらさがしみじみ感じられる」と訳せる。作者・在原業平は、東国（とうごく）への旅の途中、三河国（みかわのくに）の八橋（やつはし）にある川のほとりで、かきつばたが美しく咲いているのを見つける。そこで「かきつばた」という五文字を句の頭文字にすえ、作られたのがこの歌である。

和歌 83日目

都の繁栄を咲く花にたとえる

小野老（おののおゆ）

□月□日

1 書写のポイントに気をつけて歌をなぞりましょう。

あをによし　奈良（なら）の都（みやこ）は　咲（さ）く花（はな）の　にほふがごとく　今盛（いまさか）りなり

（あける／そろえる／少し反る）

『万葉集』三二八番

鑑賞

「奈良の都は、花が美しく咲くように今真っ盛りに栄えている」という意味。奈良の都の繁栄を、花が美しく咲く様子にたとえている。「にほふ」とは、花が美しく映えることをいう。枕詞（まくらことば）の「あをによし」は、漢字では「青丹よし」と書く。青丹とは、顔料や染料に使う青みがかった黒い土。これが奈良でよく産出されたため、「奈良」にかかる枕詞となった。

2 歌をなぞりましょう。

あをによし　奈良の都は　咲く花の　にほふがごとく　今盛りなり

3 1のお手本を参考に、歌を書きましょう。

和歌

84 日目

秋を再び迎えられた感動

藤原俊成（ふじわらのとしなり）

□月□日

1 書写のポイントに気をつけて歌をなぞりましょう。

思ひきや（おも）
別れし秋に（わか・あき）
めぐり逢ひて（あ）
またもこの世の（よ）
月を見むとは（つき・み）

形を意識　ひろく　あける　あける　斜めに　等間隔に　等間隔に　等間隔に　とめる　はねる

『新古今和歌集』一五三一番

鑑賞

作者の藤原俊成が、体を悪くして出家した翌年の秋、曇りなく月が光るのを見て詠んだ歌。意訳すると「一年前の秋に出家し、俗世と別れると同時に、秋にも別れを告げたつもりだったが、その秋の美しい月に、また再び出会えるとは思ってもいなかった」となる。病のために一度は死を覚悟しながらも生きながらえた感動が表現されている。

2 歌をなぞりましょう。

思ひきや
別れし秋に
めぐり逢ひて
またもこの世の
月を見むとは

3 1のお手本を参考に、歌を書きましょう。

和歌 85日目

孤独を感じるおだやかな春の日

大伴家持（おおとものやかもち）

□月□日

1 書写のポイントに気をつけて歌をなぞりましょう。

うらうらに照れる春日にひばり上がりこころ悲しも独し思へば

（そろえる／てらう／はらう／はるひ／あ／上にはねる／あける／かな／ひとり／おも／まっすぐ／書き順に注意）

『万葉集』四二九二番

鑑賞

「うららかに春の日が照る中を、ひばりが飛び上がっている。こんな日にひとり物思いにふけっていると悲しい気持ちになる」と訳せる。ひばりがさえずる、おだやかな春の気候と作者の悲しみは対照的である。だからこそ、詞書（ことばがき）に「悲しみの心は、歌でなければ払うのが難しい」とあるように、作者は、歌によって心を救おうとしたのであろう。

2 歌をなぞりましょう。

うらうらに照れる春日にひばり上がりこころ悲しも独し思へば

3 1のお手本を参考に、歌を書きましょう。

和歌

86日目

別れ際のやさしい言葉を思い出す

文部稲麻呂（はせつかべのいなまろ）

月　日

1 書写のポイントに気をつけて歌をなぞりましょう。

父母が　頭かき撫で　幸くあれて　いひし言葉ぜ　忘れかねつる

（ちちはは が　かしら かき な で　さ く あれて　いひし けとば ぜ　わす れかねつる）

中心を意識　あける　等間隔に　はらう　あける　まっすぐに　あける　ひろく　形を意識

『万葉集』四三四六番

鑑賞

「旅立ちのとき、父母が頭をかき撫でて言った『無事で』という言葉が忘れられない」という意味。東国（とうごく）出身の防人（さきもり）*や、その家族が詠んだ歌を防人歌（さきもりのうた）という。親子、夫婦の別れの悲しみや、望郷、旅情などを詠んだ素朴な歌が多く、この歌もその中の一つ。旅立ちのときの両親の言葉を思い返し、故郷を懐かしんでいる。「あれて」「言葉ぜ」に東国の方言がみえる。

2 歌をなぞりましょう。

父母が　頭かき撫で　幸くあれて　いひし言葉ぜ　忘れかねつる

3 1のお手本を参考に、歌を書きましょう。

＊防人とは、主に九州北部に配置された兵士のこと。東国地方の農民が召集され、任期は三年だった。

和歌 87日目

水鏡に映る恋しい妻への思い

若倭部身麻呂（わかやまとべのみまろ）

月　日

1 書写のポイントに気をつけて歌をなぞりましょう。

わが妻（つま）はいたく恋（こ）ひらし飲（の）む水（みず）に影（かご）さへ見（み）えて世（よ）に忘（わす）られず

とめる　ひろく　あける　等間隔に　形を意識　長く

『万葉集』四三二二番

鑑賞

訳すと「私の妻はとても私に恋焦がれているようだ。飲む水に妻の姿が見えて、とても忘れられない」。人を思うと、相手の水鏡や夢に自分が現れると昔の人は考えていたようだ。実際は、作者自身が家に残してきた妻に会いたいと思うからこそ、妻の姿が水に映るのだろうが、相手も自分のことを考えていると思えば、悲しみも少しは薄れるのだろう。

2 歌をなぞりましょう。

わが妻はいたく恋ひらし飲む水に影さへ見えて世に忘られず

3 1のお手本を参考に、歌を書きましょう。

和歌

88日目

世の移り変わりを悟った歌

沙弥満誓（さみまんせい）

□月□日

1 書写のポイントに気をつけて歌をなぞりましょう。

世間（よのなか）を　何（なに）にたとへむ　朝（あさ）びらき　漕（こ）ぎ去（い）にし船（ふね）の　跡（あと）なきごとし

形を意識　そろえる　はねる　長く　あける　はねる　次につなげる意識で

『万葉集』三五一番

鑑賞

作者の沙弥満誓は、奈良時代前期の歌人、僧。この歌は、仏教的な世の無常をテーマとしている。「朝びらき」とは、朝に船が出港することで、「朝、港を漕ぎ出して行った船の跡が今はもう残っていないように、世の中の出来事も同様、はかなく消えていくのである」という訳になる。はかなく消えてしまう船の跡に、世が移り変わっていく無常を悟るのである。

2 歌をなぞりましょう。

世間を　何にたとへむ　朝びらき　漕ぎ去にし船の　跡なきごとし

3 1のお手本を参考に、歌を書きましょう。

和歌 89日目

柳が思い出させる平城京での生活

大伴家持（おおとものやかもち）

□月□日

1 書写のポイントに気をつけて歌をなぞりましょう。

春の日に張れる柳を取り持ちて見れば都の大路思ほゆ

（はるのひにはれるやなぎをとりもちてみればみやこのおおじおもほゆ）

等間隔に　等間隔に　あける　そろえる　はらう　はらう　つなげる意識で　バランスに注意

『万葉集』四一四二番

鑑賞

「春の日に芽吹いている柳を手に持って見ると、しみじみ平城（へいじょう）京（きょう）の大路が思い出される」という意味。当時、平城京の大路には、街路樹として柳が植えられていた。そのため、柳は平城京の象徴なのである。また当時、女性は眉を細く描いていた。それを「柳の眉」と呼んだことから、歌の裏の意味として、都の美女たちのことを詠んでいるともいわれる。

2 歌をなぞりましょう。

春の日に張れる柳を取り持ちて見れば都の大路思ほゆ

3 1のお手本を参考に、歌を書きましょう。

和歌
90日目

力強い新芽に春の到来を感じる歌

志貴皇子（しきのみこ）

□月□日

1 書写のポイントに気をつけて歌をなぞりましょう。

石走る（いわばしる）　形を意識
垂水の上の（たるみのうえの）　長く　等間隔に
さわらびの　次につなげる意識で
萌え出づる春に（もえいづるはるに）　等間隔に　あける
なりにけるかも　はらう

『万葉集』一四一八番

2 歌をなぞりましょう。

石走る
垂水の上の
さわらびの
萌え出づる春に
なりにけるかも

3 1のお手本を参考に、歌を書きましょう。

鑑賞

「岩の上を激しく流れる滝の上に、蕨（わらび）が芽を出す春になった」と訳せる。春がやってきた喜びを、率直に詠んだ歌。激しく水しぶきが散る滝と、その近くに芽生えている蕨が、生命力あふれる春の様子を表している。作者の志貴皇子は、天智天皇（てんじてんのう）を父に持つ人物。『万葉集』には六首の短歌が載っており、歌風はおおらかで明るく、格調高い。

和歌

91日目

目的地がなかなか見えないじれったさ

乙（おと）

□月□日

1 書写のポイントに気をつけて歌をなぞりましょう。

山（やま）かくす春（はる）の霞（かすみ）ぞうらめしきいづれ宮（みや）このさかひなるらむ

（あける・はる・はらう・等間隔に・あける・かすみ・ひろく・みや・下を大きめに・はねる）

『古今和歌集』四一三番

鑑賞

「山を隠す春の霞が恨めしい。どこが都の境だろうか」という訳になる。『古今和歌集』には京から東国（とうごく）への旅の歌が多い中、東国から京へ行く道中で詠まれたものとして唯一掲載されている歌。いよいよ京が近づき、早くその地を見たいと思っているのに、霞によって京との境にある東山（ひがしやま）がはっきり見えないことをもどかしく思う気持ちを詠んでいる。

2 歌をなぞりましょう。

山かくす春の霞ぞうらめしきいづれ宮このさかひなるらむ

3 1のお手本を参考に、歌を書きましょう。

和歌
92日目

夢の中で出会えた喜び

小野小町（おののこまち）

月　日

1 書写のポイントに気をつけて歌をなぞりましょう。

思（おも）ひつつ　寝（ぬ）ればや人（ひと）の　見（み）えつらむ　夢（ゆめ）と知（し）りせば　覚（さ）めざらましを

はらう　あける　はねる　あける　等間隔に　長く　等間隔に

『古今和歌集』五五二番

鑑賞

恋人を夢に見たときの気持ちを詠んだ歌。「心に思って寝たのであの人が夢に現れたのだろうか。夢と知っていれば、目覚めなかったのに」と訳せる。相手が思うから、自分の夢に現れると考えるのが普通のこの時代だが、やはり思っていたのは作者のほう。夢の中とはいえ、恋人に会えたという幸福感と、目覚めたときの残念な気持ちを詠んでいる。

2 歌をなぞりましょう。

思ひつつ　寝ればや人の　見えつらむ　夢と知りせば　覚めざらましを

3 1のお手本を参考に、歌を書きましょう。

和歌

93日目

美しくもはかない桜に心乱れる

在原業平（ありわらのなりひら）

□月□日

1 書写のポイントに気をつけて歌をなぞりましょう。

世の中に　たえて桜の　なかりせば　春の心は　のどけからまし

（形を意識／よ／はらう／なか／出す／さくら／あける／はる／等間隔に／こころ／斜めに／あける）

『古今和歌集』五三番

鑑賞

「この世にまったく桜がなければ、春の人々の心はのんびりしたものだろうに」という意味の歌。もちろん、作者は桜が嫌いなのではない。桜を愛しているからこそ、はかなく散る桜の花が惜しまれて、「散っていないか」「色あせていないか」などと心を乱し、のんびりした気持ちになれないというのである。

2 歌をなぞりましょう。

世の中に　たえて桜の　なかりせば　春の心は　のどけからまし

3 1のお手本を参考に、歌を書きましょう。

和歌 94日目

危険な山道を行く夫を思いやる歌

よみびとしらず

□月□日

1 書写のポイントに気をつけて歌をなぞりましょう。

風吹けば（かぜふけば）　長くはらう
沖つ白波（おきつしらなみ）　等間隔に
たつた山（たつたやま）　あける
夜半にや君が（よわにやきみが）　形を意識　はねる
ひとり越ゆらむ（ひとりこゆらむ）　そろえる　少し反る

『古今和歌集』九九四番

鑑賞

「風が吹くと沖の白波が立つ、その『たつ』ではないが、竜田（たつた）山（やま）を夜に君は一人で越えるのだろうか」と訳せる。竜田山は、大和国（やまとのくに）と河内国（かわちのくに）の間にある、険しい山である。危険な山道を使ってほかの女性のところへ通う夫の身を案じ、妻が一人詠んだ。これをこっそりと聞いていた夫は、それ以来、ほかの女性のところに通わなくなったという。

2 歌をなぞりましょう。

風吹けば
沖つ白波
たつた山
夜半にや君が
ひとり越ゆらむ

3 1のお手本を参考に、歌を書きましょう。

和歌
95日目

働く女性をいとしく思う気持ち

よみびとしらず

月　日

1 書写のポイントに気をつけて歌をなぞりましょう。

多摩川にさらす手作さらさらに何ぞこの児のここだ愛しき

『万葉集』三三七三番

とめる　等間隔に　あける　あける　ひろく

鑑賞

万葉集には、東国で詠まれた歌もある。これを東歌といい、生活を主題にした歌が多い。この歌は、「多摩川に手作りの布をさらす、その『さら』ではないが、さらにさらになぜこの娘をこんなにもいとしく感じるのだろう」という意味で、女性への恋心を詠んだもの。布を多摩川の水にさらすことを序詞として、「さらさらに（さらにさらにの意）」を導く。

2 歌をなぞりましょう。

多摩川にさらす手作さらさらに何ぞこの児のここだ愛しき

3 1のお手本を参考に、歌を書きましょう。

和歌
96日目

梅を人に見立てて願いをたくす

式子内親王(しきしないしんのう)

月　日

1 書写のポイントに気をつけて歌をなぞりましょう。

ながめつる
今日(きょう)は昔(むかし)に
なりぬとも
軒端(のきば)の梅(うめ)は
われを忘(わす)るな

はらう　形を意識　等間隔に　あける　下がらない　はらう

『新古今和歌集』五二番

鑑賞

「ぼんやりと物思いにふけって梅を見つめている、今日という日が、私が死んで昔になってしまっても、軒端の梅は私を忘れないでおくれ」という歌である。作者の式子内親王は、後白河天皇の第三皇女。斎院(さいいん)*として賀茂(かも)神社に仕え、のちに出家。生涯を独身で過ごしたという。この歌は、亡くなる前年の春に詠まれたものである。

2 歌をなぞりましょう。

ながめつる
今日は昔に
なりぬとも
軒端の梅は
われを忘るな

3 1のお手本を参考に、歌を書きましょう。

＊斎院とは、平安時代、京都の賀茂神社に奉仕した女性で、未婚の内親王や女王であることが条件だった。

和歌

97日目

真夏のようでも近づく秋の気配

藤原敏行（ふじわらのとしゆき）

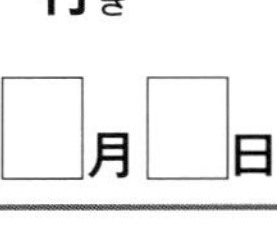

1 書写のポイントに気をつけて歌をなぞりましょう。

秋（あき）来（き）ぬと
目（め）にはさやかに
見（み）えねども
風（かぜ）の音（おと）にぞ
おどろかれぬる

長く　あける　あける　等間隔に　ひろく　なめらかに　そろえる　あける　はらう　点は高く

『古今和歌集』一六九番

鑑賞

「目にははっきりと見えないが、風の音に秋の到来をはっと気づかされた」と訳せる。詞書（ことばがき）には「秋立つ日よめる」とあり、立秋（りっしゅう）の日に詠まれたということがわかる。立秋は、現在の暦では八月八日頃。まだ暑いさなかとはいえ、暦の上で秋が始まるという日には、暑さの中にも、風のさわやかさに、ふと秋の涼しさを実感するという歌である。

2 歌をなぞりましょう。

秋来ぬと
目にはさやかに
見えねども
風の音にぞ
おどろかれぬる

3 1のお手本を参考に、歌を書きましょう。

和歌 98日目

一族の隆盛をおおらかに詠む

藤原良房（ふじわらのよしふさ）

□月□日

1 書写のポイントに気をつけて歌をなぞりましょう。

年（とし）ふれば　齢（よわい）は老（お）いぬ　しかはあれど　花（はな）をし見（み）れば　もの思（おも）ひもなし

長く　あける　はらう　はらう　等間隔に　あける　ひろく　次につなげる意識で

『古今和歌集』五二番

鑑賞

訳すと「私は年を重ねた。そうではあるが、美しい桜の花を見ると悩みもしなくなるよ」。作者の藤原良房は、臣下（しんか）の身で初めて太政大臣となった人物。これより摂関政治（せっかんせいじ）を行った藤原家は、権力を持ち、栄華をきわめる。天皇の后となった娘の明子（あきらけいこ）を桜の花にたとえ、自身の身の衰えは感じつつも、一族の繁栄を実感して満足する気持ちを詠んでいる。

2 歌をなぞりましょう。

年ふれば　齢は老いぬ　然はあれど　花をし見れば　もの思ひもなし

3 1のお手本を参考に、歌を書きましょう。

和歌 99日目

古都を思い出す千鳥の声

柿本人麻呂(かきのもとのひとまろ)

□月□日

1 書写のポイントに気をつけて歌をなぞりましょう。

淡海(おうみ)の海(うみ)
夕波(ゆうなみ)千鳥(ちどり)
汝(な)が鳴けば
心(こころ)もしのに
いにしへ思(おも)ほゆ

とめる　出す　形を意識　等間隔に　まっすぐに　次につなげる意識で　次につなげる意識で

『万葉集』二六六番

鑑賞

「琵琶湖(びわこ)の夕波を飛ぶ千鳥よ。お前が鳴くと、心がしおれるように昔のことがしのばれるよ」と訳せる。また「いにしへ」とは、近江に天智天皇(てんじてんのう)の都があった時代のこと。作者は、夕方に琵琶湖の波打ち際で鳴く千鳥の声を聞き、かつての都を懐かしんでいる。「夕波千鳥」は、作者の造語。たった四文字で、寂しげな情景が目に浮かぶ。

2 歌をなぞりましょう。

淡海の海
夕波千鳥
汝が鳴けば
心もしのに
いにしへ思ほゆ

3 1のお手本を参考に、歌を書きましょう。

和歌
100日目

元恋人に贈る禁断の恋の歌

額田王（ぬかたのおおきみ）

□月□日

1 書写のポイントに気をつけて歌をなぞりましょう。

あかねさす
紫野行き
標野行き
野守は見ずや
君が袖振る

（はらう／長く／長く／むらさき の ゆ／しめ あける の ゆ／の もり 出ないように み／きみ あける そで ふ／あける／中心を意識）

『万葉集』二〇番

鑑賞

訳すと「紫草の生えている野を行ったり、御料（ごりょう）地の野を行き来するところを、野の番人は見ていないだろうか。あなたが私に袖を振っているのを」。作者は、天智天皇（てんじてんのう）の妻、額田王。この歌には、「紫草（むらさき）の匂（にお）へる妹（いも）を憎（にく）くあらば 人妻（ひとづま）ゆゑに我恋（われこ）ひめやも」（万葉集・二十一番）という返歌がある。この相手は元恋人。三角関係を思わせるやりとりだが、実際は宴での戯れとする説が強い。

2 歌をなぞりましょう。

あかねさす
紫野行き
標野行き
野守は見ずや
君が袖振る

3 1のお手本を参考に、歌を書きましょう。

和歌

101日目

大海原から磯へと寄せる波の迫力

源実朝（みなもとのさねとも）

月　日

1 書写のポイントに気をつけて歌をなぞりましょう。

大海（おおうみ）の磯（いそ）もとどろに寄（よ）する波（なみ）割（わ）れて砕（くだ）けて裂（さ）けて散（ち）るかも

（下がらない／反る／そろえる／ひろく／長く／はらう／等間隔に／あける／はねる）

『金槐和歌集』

鑑賞

訳すと「大海原から磯へと音をとどろかせて寄せてくる波が、割れて砕けて裂けて散っていく」。詞書（ことばがき）に「あら磯に波のよるを見てよめる」とあるように、荒々しい海の様子を写実的に詠んだ歌。作者の源実朝は、鎌倉幕府の三代将軍。この歌が載っている『金槐和歌集（きんかいわかしゅう）』は、彼の二十二歳までの歌を集めたもので、万葉調の力強い歌風が特徴である。

2 歌をなぞりましょう。

大海の磯もとどろに寄する波割れて砕けて裂けて散るかも

3 1のお手本を参考に、歌を書きましょう。

和歌

102日目

散りゆく桜に思いをよせる歌

藤原俊成（ふじわらのとしなり）

□月□日

1 書写のポイントに気をつけて歌をなぞりましょう。

またや見む交野のみ野の桜狩花の雪ちる春のあけぼの

等間隔に　み　はねる　かた　の　はらう　の　中心を意識　さくら　がり　長く　はな　ゆき　形を意識　あける　はる　はねる　等間隔に

『新古今和歌集』一一四番

鑑賞

「また見るだろうか。交野の御狩場（みかりば）の桜狩りで、雪のように花が散る春の明け方の、この美しいひとときを」という意の歌。『伊勢物語』に交野（現在の大阪府枚方（ひらかた）市、交野市）で桜狩りをする話があり、これを踏まえた作といわれる。桜のはかなさに人生の無常を重ね合わせる発想に、作者の晩年の心境がうかがえる。

2 歌をなぞりましょう。

またや見む交野のみ野の桜狩花の雪ちる春のあけぼの

3 1のお手本を参考に、歌を書きましょう。

和歌

103日目

東国の地ではるか遠い都を思いやる

在原業平（ありわらのなりひら）

月　日

1 書写のポイントに気をつけて歌をなぞりましょう。

名にし負はば　いざ言とはむ　都鳥　わが思ふ人は　有りやなしやと

（な）（お）（こと）（みやこ）（どり）（おも）（ひと）（あ）

まっすぐに　あける　とめる　はねる　等間隔に　はらう　あける　とめる

『古今和歌集』四一一番

鑑賞

「『都』という名を持っているのなら、都のことを尋ねよう。都鳥よ。私の恋しいあの人は無事でいるかと」と訳せる。この歌の成立は、82日目「唐衣……」（→P91）の歌と同様、作者・在原業平の東国（とうごく）への旅中。一行が渡し舟に乗ると、都で見かけない鳥を見つける。船頭から鳥の名が「都鳥」であると聞いて都を思い出し、作られた歌である。

2 歌をなぞりましょう。

名にし負はば　いざ言とはむ　都鳥　わが思ふ人は　有りやなしやと

3 1のお手本を参考に、歌を書きましょう。

和歌

104日目

遠征軍の士気をあげる船出の歌

額田王（ぬかたのおおきみ）

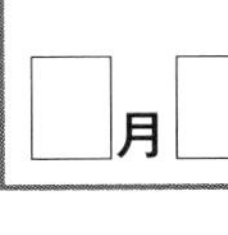
月　日

1 書写のポイントに気をつけて歌をなぞりましょう。

熟田津（にきたづ）に
船乗（ふなの）りせむと
月（つき）待（ま）てば
潮（しお）もかなひぬ
今（いま）は漕（こ）ぎ出（い）でな

形を意識　長く　そろえる　あける　次につなげる意識で　はらう

『万葉集』八番

鑑賞

訳すと「熟田津から船出しようと月を待っていると潮の具合もよくなってきた。さあ、今こそ漕ぎ出そう」となる。この歌は、斉明（さいめい）天皇率いる百済（くだら）救援のための軍が、熟田津の港（今の愛媛県にある港）から出発する際に詠まれたもの。天皇に同行した作者の額田王が、天皇の代わりに、幸先のよい船出を祝って軍を鼓舞する意味で詠んだと考えられる。

2 歌をなぞりましょう。

熟田津に
船乗りせむと
月待てば
潮もかなひぬ
今は漕ぎ出でな

3 1のお手本を参考に、歌を書きましょう。

和歌

105日目

大切な人の長生きを願う祝賀の歌

よみびとしらず

□月□日

1 書写のポイントに気をつけて歌をなぞりましょう。

わが君は千代にやちよにさざれ石の巌となりて苔のむすまで

きみ　ちよ　いし　いわお　こけ

はらう　等間隔に　反る　はらう　とめる　そろえる　ひろく

『古今和歌集』三四三番

2 歌をなぞりましょう。

わが君は千代にやちよにさざれ石の巌となりて苔のむすまで

3 1のお手本を参考に、歌を書きましょう。

鑑賞

国歌「君が代」の元となったとされる歌。『古今和歌集』では、賀歌（がか）として掲載されている。「わが君」とは、自分の大切な人のことで、とくに賀の祝宴において祝われる人をいう。「小さな石が、長い月日を経て大きな岩となり、さらにその上に苔が生えるくらいの長い間、あなたには長生きをしてほしい」という意味の歌である。

和歌

106日目

冬の氷がとけだす立春の歌

紀貫之（きのつらゆき）

月　日

1 書写のポイントに気をつけて歌をなぞりましょう。

袖（そで）ひちて むすびし水（みず）の こほれるを 春（はる）立（た）つけふの 風（かぜ）やとくらむ

あける　ひろく　長く　あける　はらう　形を意識　はねる

『古今和歌集』二番

鑑賞

詞書（ことばがき）に「春立ちける日よめる」とあるように、立春（りっしゅん）の日に詠まれた、春の到来を感じさせる歌である。訳すと「夏に袖をぬらしてすくった水が、冬には凍っていたのを、立春の今日の風がとかしていることであろう」となる。水から氷になり、そしてまた水へ戻るという、水の状態の変化で季節の移り変わりを表現している。

2 歌をなぞりましょう。

袖ひちて むすびし水の こほれるを 春立つけふの 風やとくらむ

3 1のお手本を参考に、歌を書きましょう。

コラム

和歌クイズ

●上の句と下の句を線で結んで、和歌を完成させましょう（答えは、このページ下にあります）。

上の句

① 東風(こち)吹(ふ)かば匂(にお)ひおこせよ梅(うめ)の花(はな)

② わが庵(いお)は都(みやこ)のたつみしかぞ住(す)む

③ 見渡(みわた)せば花(はな)も紅葉(もみじ)もなかりけり

④ 玉(たま)の緒(お)よ絶(た)えなば絶(た)えねながらへば

⑤ 契(ちぎ)りきなかたみに袖(そで)を絞(しぼ)りつつ

⑥ この世(よ)をば我(わ)が世(よ)とぞ思(おも)ふ望月(もちづき)の

⑦ ぬばたまの夜(よ)の更(ふ)け行(ゆ)けば久木(ひさき)生(お)ふる

⑧ 小倉山峰(おぐらやまみね)のもみぢ葉(ば)心(こころ)あらば

下の句

A 浦(うら)の苫屋(とまや)の秋(あき)の夕暮(ゆうぐ)れ（藤原定家(ふじわらのさだいえ)）

B 清(きよ)き川原(かわら)に千鳥(ちどり)屢(しば)鳴(な)く（山部赤人(やまべのあかひと)）

C 末(すえ)の松山(まつやま)波(なみ)越(こ)さじとは（清原元輔(きよはらのもとすけ)）

D 主(あるじ)なしとて春(はる)を忘(わす)るな（菅原道真(すがわらのみちざね)）

E 今(いま)ひとたびのみゆき待(ま)たなむ（藤原忠平(ふじわらのただひら)）

F 忍(しの)ぶることの弱(よわ)りもぞする（式子内親王(しきしないしんのう)）

G 欠(か)けたることもなしと思(おも)へば（藤原道長(ふじわらのみちなが)）

H 世(よ)をうぢ山(やま)と人(ひと)はいふなり（喜撰(きせん)）

答え

①－D　②－H　③－A　④－F　⑤－C　⑥－G　⑦－B　⑧－E

第4章

論語

～人生の知恵を得る～

『論語』とは、中国の春秋時代に生きた孔子と、その門人らが行った問答、発言を編集したものである。日本には、五世紀頃には伝えられていたとされる。『論語』の中でよくテーマになるのは、「学習」「政治」「親孝行」「仁徳」「礼儀」などで、現代にも通じるものも多い。

論語

107日目

古いものから新しい考え方を知る

□月□日

1 書写のポイントに気をつけて文をなぞりましょう。

故(ふる)きを温(たず)ねて新(あたら)しきを知(し)れば、以(もっ)て師(し)と為(な)るべし。

あける　長く　まっすぐに　はらう　そろえる　等間隔に　形を意識

『論語』為政篇第二・一一

2 文をなぞりましょう。

故きを温ねて新しきを知れば、以て師と為るべし。

3 1のお手本を参考に、文を書きましょう。

鑑賞

「前に習ったことや過去の歴史などをよく復習・研究することで、新しい考え方や知識を得れば、人を教え導く先生となれる」という意味。有名な「温故知新」という四字熟語の語源となった一文。「温」という字は、「たずね求める」と訳せるとともに、冷たくなったものを温めるという意味で、「復習する」とも訳せる。

論語

108日目

誰もがみんな実を結ぶわけではない

□月□日

1 書写のポイントに気をつけて文をなぞりましょう。

苗にして秀でざる者あるかな。秀でて実らざる者あるかな。

（なえ、ひい、もの、ひい、みの、もの）

ひろく　はらう　中心を意識　等間隔に

『論語』子罕篇第九・二二

2 文をなぞりましょう。

苗にして秀でざる者あるかな、秀でて実らざる者あるかな。

3 1のお手本を参考に、文を書きましょう。

鑑賞

「同じ植物でも、苗のまま穂にならないものもあれば、穂になっても実をつけないものもあるなあ」という意味。努力し続ける大切さを説いた言葉とする説と、早くに亡くなった優秀な弟子・顔淵（がんえん）を惜しむ言葉とする説がある。両方を合わせ、人が大成するためには、努力し続けられる才能と、体が丈夫でいられる幸運が必要なのだと説いているとも考えられる。

論語 109日目

学びを深めるバランス感覚についての言葉

□月□日

1 書写のポイントに気をつけて文をなぞりましょう。

学（まな）びて思（おも）わざれば則（すなわ）ち罔（くら）し、思（おも）いて学（まな）ばざれば則（すなわ）ち殆（あやう）し。

そろえる　長く　長めに　あける　平行に

『論語』為政篇第二・一五

鑑賞

「ただ教えを受けるだけでなく、みずから筋道を立てて物事を考えてみなければ、知識は身につかない。逆に、ただ考えているだけで先人（せんじん）の教えをないがしろにしていると、独りよがりで行き詰まってしまう」という意味。学びを深めるためには、知識を得ることと自分の頭で考えることのバランスを上手にとることが大切である。

2 文をなぞりましょう。

学びて思わざれば則ち罔し、思いて学ばざれば則ち殆し。

3 1のお手本を参考に、文を書きましょう。

論語

110日目

人付き合いについてのアドバイス

□月□日

1 書写のポイントに気をつけて文をなぞりましょう。

君子（くんし）は周（あまね）くして比（よりそ）わず、小人（しょうじん）は比（よりそ）いて周（あまね）からず。

あける　あける　長く　はねる

『論語』為政篇第二・一四

鑑賞

人付き合いについてのアドバイスである。「人格者は、誰とでも広く公平に人付き合いをして、一部の人だけにおもねることはしない。一方、品性に欠けているような人は、特定の仲間を作って馴れ合いたがる」という意味。人との付き合い方から、その人格がわかるともいえる。「比」という字は、ここでは「特定の仲間を作る、おもねる」と訳せる。

2 文をなぞりましょう。

君子は周くして比わず、小人は比いて周からず。

3 1のお手本を参考に、文を書きましょう。

論語

111日目

失敗にはその人となりが表れる

□月□日

1 書写のポイントに気をつけて文をなぞりましょう。

人(ひと)の過(あやま)つや、各(おのおの)その党(たぐい)に於(お)いてす。過(あやま)ちを観(み)ては斯(ここ)に仁(じん)を知(し)る。

はらう　あける　とめる　出す　中心を意識

『論語』里仁篇第四・七

鑑賞

「人間というものは、それぞれその人らしい失敗の仕方をする。どんな失敗をしたかを観察することで、その人の本性がわかる」という意味。これは、人を見極めるコツであるとともに、自分を知ることにもつながる。失敗を分析することで自分の考え方の癖を知ることができれば、同じ失敗を繰り返さないためのヒントになるかもしれない。

2 文をなぞりましょう。

人の過つや、各その党に於いてす。過ちを観てはここに仁を知る。

3 1のお手本を参考に、文を書きましょう。

論語 112日目

「不言実行」を説いた名言

□月□日

1 書写のポイントに気をつけて文をなぞりましょう。

君子(くんし)は言(げん)に訥(とつ)にして、行(おこな)いに敏(びん)ならんことを欲(ほっ)す。

等間隔に　次につなげる意識で　そろえる　長めに　斜めに　長く

『論語』里仁篇第四・二四

鑑賞

不言実行（ふげんじっこう）について述べられた言葉。「徳がある人というのは、話し上手である必要はない。それよりも、すばやく行動できるようにしたいものだ」と訳すことができる。口先だけの軽率な言葉より、いかに早く実際の行動に移せるかどうかが大切ということである。この言葉は「訥言敏行（とつげんびんこう）」という四字熟語にもなっている。

2 文をなぞりましょう。

君子は言に訥にして、行いに敏ならんことを欲す。

3 1のお手本を参考に、文を書きましょう。

論語

113日目

口が上手いだけではうまくいかない

□月□日

1 書写のポイントに気をつけて文をなぞりましょう。

焉（いずく）んぞ佞（ねい）を用（もち）いんや。人（ひと）にあたるに口給（こうきゅう）を以（もっ）てすれば、しばしば人（ひと）に憎（にく）まる。

あける　はらう　はらう　形を意識　斜めに　出すぎない　まっすぐに　はねる　等間隔に

『論語』公冶長篇第五・五

鑑賞

この言葉は、孔子の門人・冉雍（ぜんよう）について「仁徳を備えた人物だが、口下手なのが残念だ」と言う人に対し、孔子が反論したもの。「どうして口がうまい必要があろうか。よく口が回って反論するような人は、しばしば人に嫌われる」という意味。この後には、「冉雍が仁徳のある人間かどうかはわからないが、話し上手である必要はない」と続く。

2 文をなぞりましょう。

焉んぞ佞を用いんや。人にあたるに口給を以てすれば、しばしば人に憎まる。

3 1のお手本を参考に、文を書きましょう。

論語

114日目

自分の頭や心で考える大切さ

□月□日

1 書写のポイントに気をつけて文をなぞりましょう。

道(みち)に聴(き)きて塗(みち)に説(と)くは、徳(とく)をこれ棄(す)つるなり。

あける　中心を意識　はらう　長く　そろえる　はらう

『論語』陽貨篇第一七・一四

鑑賞

「道端で聞きかじったような知識を、きちんと理解せずに、すぐにまた道端で人に話していては、徳を捨てることになる」という意味。知識の理解をいい加減にしないよう戒める言葉である。「道聴塗説(どうちょうとせつ)」という四字熟語にもなっており、「受け売りすること」「知ったかぶりをすること」という意味から転じて、「いい加減な話」という意味でも使われる。

2 文をなぞりましょう。

道に聴きて塗に説くは、徳をこれ棄つるなり。

3 1のお手本を参考に、文を書きましょう。

論語

115日目

孔子も天才ではなく努力の人だった

□月□日

1 書写のポイントに気をつけて文をなぞりましょう。

我は生まれながらにしてこれを知る者にあらず。古を好み、敏にして以てこれを求むる者なり。

『論語』述而篇第七・一九

鑑賞

孔子が自分自身について語った言葉。「私は生まれつき、ものの道理や知識をわかっていたわけではない。古い時代の知恵を好んで、これを一所懸命学んできただけである」という意味。孔子も生まれたときから天才だったわけではなく、貪欲に学ぶ姿勢を崩さず、こつこつと努力を積み重ねた結果、立派な人物になれたのだという。

2 文をなぞりましょう。

我は生まれながらにしてこれを知る者にあらず。古を好み、敏にして以てこれを求むる者なり。

3 1のお手本を参考に、文を書きましょう。

論語

116日目

自分中心の考え方をやめてまわりを見よう

□月□日

1 書写のポイントに気をつけて文をなぞりましょう。

人(ひと)の己(おのれ)を知(し)らざることを患(うれ)えず、人(ひと)を知(し)らざることを患(うれ)う。

(あける／形を意識／そろえる)

『論語』学而篇第一・一六

鑑賞

「人に自分を知ってもらえないことを気にするのではなく、自分が人を知らないことを気にかけるべきだ」という意味。誰でもまわりから認められたいと思うものだが、「自分だけがどうして認められないのか」と自己中心的に考えず、まわりをよく見て、理解しようと努める。それが、自分が認められるためにも大切だという教え。

2 文をなぞりましょう。

人の己を知らざることを患えず、人を知らざることを患う。

3 1のお手本を参考に、文を書きましょう。

論語

117日目

親の年齢を知ることが親孝行につながる

□月□日

1 書写のポイントに気をつけて文をなぞりましょう。

父母の年は知らざるべからざるなり。一には則ち以て喜び、一には則ち以て懼る。

(ふぼ、とし、し、いっ、すなわ、もっ、よろこ、いっ、すなわ、もっ、おそ)

角度に注意　はらう　はねる　次につなげる意識で　等間隔に　長く　出す

『論語』里仁篇第四・二一

鑑賞

親孝行について述べられた言葉である。「子どもは、両親の年齢をきちんと覚えておくべきである。一つには、年齢を数えることで両親の長寿を喜ぶことができるため、また一つには、両親が年老いたことを気遣うことができるため」という意味。論語には、「孝」という考え方があり、親を大切にするための教えがたくさんある。

2 文をなぞりましょう。

父母の年は知らざるべからざるなり。一には則ち以て喜び、一には則ち以て懼る。

3 1のお手本を参考に、文を書きましょう。

論語

118日目

先に利益を考えないのが仁徳ある人

□月□日

1 書写のポイントに気をつけて文をなぞりましょう。

仁者は難きを先にして、獲ることを後にす。仁と謂うべし。

(あける　長く　まっすぐに　とめる)

『論語』雍也篇第六・二〇

2 文をなぞりましょう。

仁者は難きを先にして、獲ることを後にす。仁と謂うべし。

3 1のお手本を参考に、文を書きましょう。

鑑賞

他人への思いやりである「仁」について門人・樊遅(はんち)に孔子が答えた言葉。「仁徳のある人は、人のために嫌なことを進んで実行し、それによって得られる利益は後回しにする。これが仁だ」という意味。「先難後獲(せんなんこうかく)」という四字熟語になっており、「はじめに難しいことを行えば、後に利益を得られる」という意味でも用いられる。

論語

119 日目

知識や目標を失わないように学び続けよう

□月□日

1 書写のポイントに気をつけて文をなぞりましょう。

学(がく)は及(およ)ばざるが如(ごと)くせよ。猶(な)おこれを失(うしな)わんことを恐(おそ)れよ。

点は高く　はねる　等間隔に　形を意識　そろえる

『論語』泰伯篇第八・一七

2 文をなぞりましょう。

学は及ばざるが如くせよ。猶おこれを失わんことを恐れよ。

3 1のお手本を参考に、文を書きましょう。

鑑賞

前半は「学問は、自分はまだ不十分と思って、必死に追いかけていくものだ」という意味。後半は、「それでもなおこれを失うのではないかという恐れを持て」という意味になるが、「これ」に何を当てはめるかによって解釈が分かれる。一つには「学問で得た知識」とする説、もう一つには「学問の目標」と考える説がある。どちらであっても、学問の探究を続ける大切さに変わりはない。

論語

120日目

人間の真価がわかるとき

□月□日

1 書写のポイントに気をつけて文をなぞりましょう。

歳(とし)寒(さむ)くして、然(しか)る後(のち)に松(しょう)柏(はく)の凋(しぼ)むに後(おく)るるを知(し)るなり。

反る　そろえる　長く　はねる　形を意識

『論語』子罕篇第九・二八

鑑賞

「寒い冬がやってきて初めて、ほかの植物が枯れていても、松や柏（ヒノキ科の植物のこと）などの常緑樹が枯れずにいつまでも緑を保っていることがわかる」という意味。人間でも同様のことが言えるだろう。普段はあまりわからないが、困難な状況に直面し、追いつめられたときに初めて、その人間の真価がわかるのである。

2 文をなぞりましょう。

歳寒くして、然る後に松柏の凋むに後るるを知るなり。

3 1のお手本を参考に、文を書きましょう。

論語

121日目

情報に惑わされないために覚えておくこと

□月□日

1 書写のポイントに気をつけて文をなぞりましょう。

衆（しゅう）これを悪（にく）むも必（かなら）ず察（さっ）し、衆（しゅう）これを好（よみ）するも必（かなら）ず察（さっ）す。

あける　次につなげる意識で　長く　中心を意識

『論語』衛霊公篇第十五・二七

鑑賞

「みんなが嫌っていても必ず自分で確かめるようにし、逆にみんなが好んでいても鵜呑（うの）みにせず、自分で確かめるようにせよ」という意味。マスコミが発達した現代は、テレビやインターネット上などから日々たくさんのうわさ話が流れてくる。この教えを心に留めておけば、誤った情報に踊らされる心配も少なくなるかもしれない。

2 文をなぞりましょう。

衆これを悪むも必ず察し、衆これを好するも必ず察す。

3 1のお手本を参考に、文を書きましょう。

論語

122日目

頼れるリーダーになるためには姿勢を正す

□月□日

1 書写のポイントに気をつけて文をなぞりましょう。

その身(み)を正(ただ)すこと能(あた)わざれば、人(ひと)を正(ただ)すを如何(いかん)せん。

（長く・とめる・はらう・はねる・あける）

『論語』子路篇第一三・一三

鑑賞

「もし仮に人の上に立つ人間自身の姿勢が正しいのであれば、政治をするのに何の問題もないだろう」という文からつながる言葉で、「自分自身を正すことができないならば、どうして人を正しく導くことができようか」という意味。人の上に立つ人間が正しい人物なら、まわりは自然についてくるということでもある。

2 文をなぞりましょう。

その身を正すこと能わざれば、人を正すを如何せん。

3 1のお手本を参考に、文を書きましょう。

論語

123日目

本質を見抜く聡明な人物となるための心得

□月□日

1 書写のポイントに気をつけて文をなぞりましょう。

浸潤（しんじゅん）の譖（そし）り、膚受（ふじゅ）の愬（うった）え、行（おこな）われざるを明（めい）と謂（い）うべきのみ。

長く　中心を意識　あける　あける　はらう　とめる　等間隔に　等間隔に

『論語』顔淵篇第一二・六

鑑賞

門人の子張（しちょう）が「聡明さとは何か」と孔子に尋ねたときの言葉。「水が浸透していくように、徐々に人を陥れるでっち上げの悪口や、皮膚に垢（あか）がたまるように、気づかぬ間に心の中に入り込んでくる訴えに対して、心を動かされないのが聡明な人物といえる」という意味。聡明であるには、全てを真に受けない洞察力が必要だということである。

2 文をなぞりましょう。

浸潤の譖り、膚受の愬え、行われざるを明と謂うべきのみ。

3 1のお手本を参考に、文を書きましょう。

論語

124日目

自ら好んで学ぶ大切さを説いた一文

□月□日

1 書写のポイントに気をつけて文をなぞりましょう。

これを知る者は、これを好む者に如かず。これを好む者は、これを楽しむ者に如かず。

（とめる・あける・等間隔に・形を意識・長く）

『論語』雍也篇第六・一八

鑑賞

物事を上達させるためのコツを説いた一文。「物事を理解するとき、嫌々やっていても深く学ぶことはできず、好んで学ぶほうがより理解が進む。そのうえ、学んでいること自体が楽しいという気持ちになれば、より学びが深まる」という意味。何かを上達させるためには、学ぶことを楽しいと思うのがいちばんの近道になる。

2 文をなぞりましょう。

これを知る者は、これを好む者に如かず。これを好む者は、これを楽しむ者に如かず。

3 1のお手本を参考に、文を書きましょう。

論語

125日目

人に認められるだけの実力はあるか

□月□日

1 書写のポイントに気をつけて文をなぞりましょう。

己(おのれ)を知(し)るなきを患(うれ)えず、知(し)らるべきを為(な)さんことを求(もと)む。

はねる　等間隔に　そろえる　あける　はらう　あける

『論語』里仁篇第四・一四

2 文をなぞりましょう。

己を知るなきを患えず、知らるべきを為さんことを求む。

3 1のお手本を参考に、文を書きましょう。

鑑賞

「自分が認められないことを気にする必要はないが、それよりも、認めてもらえるような仕事をすることだ」という意味。この文の前に、「地位について気にすることはないが、それより実力をつけることが肝心だ」と孔子は述べている。地位や名声がないことよりも、人に認めてもらえるだけの実力がないことを気にしたほうがよいということ。

論語

126日目

人生の過程を振り返る名文

月　日

1 書写のポイントに気をつけて文をなぞりましょう。

吾十有五にして学に志す。三十にして立つ。四十にして惑わず。五十にして天命を知る。

（われじゅうゆうごにしてがくにこころざす。さんじゅうにしてたつ。しじゅうにしてまどわず。ごじゅうにしててんめいをしる。）

長く　そろえる　下を短く　等間隔に　バランスよく　形を意識

『論語』為政篇第二・四

鑑賞

論語の中でも有名な一文。「私は十五歳で学問を志し、三十歳で精神的に自立した。四十歳で進む道に迷わなくなり、五十歳で自分に与えられた使命を知った」という意味。この後、「六十歳で人の話を素直に聞けるようになり、七十歳で思うまま生きても道を外れなくなった」と続く。人は年を重ねるほど、深みを増して自由に生きていられるようになる。

2 文をなぞりましょう。

吾十有五にして学に志す。三十にして立つ。四十にして惑わず。五十にして天命を知る。

3 1のお手本を参考に、文を書きましょう。

論語

127日目

人を見極めるコツを教えてくれる言葉

□月□日

1 書写のポイントに気をつけて文をなぞりましょう。

その以てする所を視、その由る所を観、その安んずる所を察すれば人焉んぞ廋さんや。

(そろえる　はらう　もっ　ところ　み　等間隔に　よ　ところ　み　あける　やす　ところ　さっ　あける　長めに　ひと　いずく　かく　ひろく　あける)

『論語』為政篇第二・一〇

鑑賞

人を見極めるためのアドバイスである。「その人がどういう行動をしているか、その人が何を目的にしているか、その人が何に満足して生きているかを観察すれば、その人の本性を見抜くことができる」という意味。信頼できる人かどうかは、その人の「行動」「目的」「心の拠り所」の三点を見て判断するとよいと孔子は言っている。

2 文をなぞりましょう。

その以てする所を視、その由る所を観、その安んずる所を察すれば人焉んぞ廋さんや。

3 1のお手本を参考に、文を書きましょう。

論語

128日目

人に嫌われないための方法

月　日

1 書写のポイントに気をつけて文をなぞりましょう。

君(きみ)に事(つか)えて数(しばしば)すれば、ここに辱(はずかし)めらる。朋友(ほうゆう)に数(しばしば)すれば、ここに疏(うと)んぜらる。

長く　等間隔に　あける　形を意識　中心を意識　あける

『論語』里仁篇第四・二六

鑑賞

これは、孔子の門人・子游(しゆう)の言葉である。「主君に仕えてしつこく過失などを指摘していると嫌われて退けられる。友人と付き合って、忠告ばかりしていると、うっとうしがられて嫌われる」という意味。家臣として、友人としてアドバイスをすること自体は悪くないが、過剰にするとまわりから遠ざけられるようになるため、ほどほどにするのがよいと説いている。

2 文をなぞりましょう。

君に事えて数すれば、ここに辱めらる。朋友に数すれば、ここに疏んぜらる。

3 1のお手本を参考に、文を書きましょう。

論語

129日目

学問による知識を「礼」によって実践する

□月□日

1 書写のポイントに気をつけて文をなぞりましょう。

君子は博く文を学び、これを約するに礼を以てすれば、亦た以て畔かざるべきかな。

（くんし　ひろ　ぶん　まな　やく　れい　もっ　ま　もっ　そむ）

ひろく　あける　上に長く　形を意識　はねる　形を意識

『論語』顔淵篇第一二・一五

鑑賞

「君子は、広く学問を学んで道理を知り、それを礼によってまとめれば、正しい道から大きく外れることはないだろう」という意味。『論語』では、同じ言葉がくり返し述べられている。「礼」とは、もともと人間関係を円滑にするための社会の規範のこと。孔子は、「学問によって得た知識を『礼』によって実践することが重要だ」と説いている。

2 文をなぞりましょう。

君子は博く文を学び、これを約するに礼を以てすれば、亦た以て畔かざるべきかな。

3 1のお手本を参考に、文を書きましょう。

論語

130日目

自分が変われば世界も変わる

□月□日

1 書写のポイントに気をつけて文をなぞりましょう。

己に克ちて礼に復る（おのれ か れい かえ）を仁と為す（じん な）。一日己に克ちて礼に復らば（いちじつおのれ か れい かえ）天下仁に帰せん（てんか じん き）。

（あける・そろえる・あける・等間隔に・長く・はらう・等間隔に・あける）

『論語』顔淵篇第十二・一

鑑賞

「仁」について門人・顔淵（がんえん）に答えた言葉であり、「克己復礼（こっきふくれい）」という四字熟語の語源。「自分の欲望に打ち勝ち、礼を実践することを仁という。もし、一日でも自分に打ち勝ち、礼に立ち返ることができれば、世は仁に帰するだろう」と訳せる。さらに、この言葉は「仁は、自分次第であって、他人次第ではない」と続く。

2 文をなぞりましょう。

己に克ちて礼に復るを仁と為す。一日己に克ちて礼に復らば天下仁に帰せん。

3 1のお手本を参考に、文を書きましょう。

論語

131日目

成果を急がず、小さな利益に惑わされずに

□月□日

1 書写のポイントに気をつけて文をなぞりましょう。

速(すみ)やかならんと欲(ほっ)すれば則(すなわ)ち達(たっ)せず、小(しょう)利(り)を見(み)れば則(すなわ)ち大事(だいじ)成(な)らず。

斜めに　そろえる　長めに　等間隔に　長く　反る　倒しすぎない

『論語』子路篇第一三・一七

鑑賞

門人の子夏(しか)が、小さな村の村長になったときに「政治をするときに大切なこと」について孔子に質問をした。その答えである。「急いで成果をあげようとすれば、達成しない。目先の利益に気を取られると、大きな利益をあげる成功はできない」という意味。政治をする人に限らず、仕事をする上で大切にしたい言葉としてよく取り上げられる。

2 文をなぞりましょう。

速やかならんと欲すれば則ち達せず、小利を見れば則ち大事成らず。

3 1のお手本を参考に、文を書きましょう。

論語

132日目

学ぶこと、教えることを楽しめる謙虚さ

□月□日

1 書写のポイントに気をつけて文をなぞりましょう。

黙してこれを識し、学びて厭わず、人を誨えて倦まず。何か我に有らんや。

（もく・しる・まな・いと・ひと・おし・う・なに・われ・あ）

少しあける　はらう　反る　長く　等間隔に　あける　等間隔に　はらう　等間隔に

『論語』述而篇第七・二

鑑賞

孔子が自分自身について語った言葉。「黙って理解し、学んで飽きることなく、人に教えて嫌にならない。これらのほかに私に何ができようか」という意味。当時から孔子は「聖人」「仁の実践者」といった評価を受けていたが、そうした評価があっても、謙虚な姿勢を崩さなかったというところに、孔子の徳の高さが感じられる。

2 文をなぞりましょう。

黙してこれを識し、学びて厭わず、人を誨えて倦まず。何か我に有らんや。

3 1のお手本を参考に、文を書きましょう。

論語

133日目

人生の楽しみ、喜びを説いた名言

□月□日

1 書写のポイントに気をつけて文をなぞりましょう。

学(まな)びて時(とき)にこれを習(なら)う。亦(ま)た説(よろこ)ばしからずや。朋(とも)有(あ)り、遠方(えんぽう)より来(きた)る。亦(ま)た楽(たの)しからずや。

そろえる　あける　ひろく　あける　ま　はねる　等間隔に　中心を意識　あける

『論語』学而篇第一・一

鑑賞

『論語』といえば、この名文。晩年の言葉で、孔子の価値観がつまっている。「学んだことを、折にふれて実践し、復習するのは喜ばしいことではないか。同学の友が遠いところからやって来た。なんと楽しいことではないか」という意味。この後には「人が自分を認めてくれなくても不満に思わないのは何と君子らしいことではないか」と続く。

2 文をなぞりましょう。

学びて時にこれを習う。亦た説ばしからずや。朋有り、遠方より来る。亦た楽しからずや。

3 1のお手本を参考に、文を書きましょう。

論語

134日目

自分のふるまいを改めるためのヒント

□月□日

1 書写のポイントに気をつけて文をなぞりましょう。

賢(けん)を見(み)ては斉(ひと)しからんことを思(おも)い、不賢(ふけん)を見(み)ては内(うち)に自(みずか)ら省(かえり)みるなり。

そろえる　まっすぐに　ひろく　あける　等間隔に　等間隔に　形を意識

『論語』里仁篇第四・十七

鑑賞

「自分より優れている人間を見たら、その人を見習って手本にし、自分より劣っている人間を見たら、自らの反省の材料とし、改めるとよい」という言葉である。「人のふり見て我がふり直せ」ということわざと同じ主旨。その人が自分より優れていようが、劣っていようが、他人からは学ぶことが多いので、まわりの人を観察することが大切だという教えである。

2 文をなぞりましょう。

賢を見ては斉しからんことを思い、不賢を見ては内に自ら省みるなり。

3 1のお手本を参考に、文を書きましょう。

論語

135日目

昔から「有言不実行」は恥だった

月　日

1 書写のポイントに気をつけて文をなぞりましょう。

古(いにしえ)者、言(げん)をこれ出ださざるは、躬(み)の逮(およ)ばざることを恥(は)じてなり。

（注記：等間隔に／はらう／次につなげる意識で／あける）

『論語』里仁篇第四・二二

2 文をなぞりましょう。

古者、言をこれ出ださざるは、躬の逮ばざることを恥じてなり。

3 1のお手本を参考に、文を書きましょう。

鑑賞

「昔の人が軽率に発言せず、寡黙(かもく)だったのは、行動が伴わないことを恥ずかしいと思ったからである」という意味。「有言不実行」では、まわりからの信頼を失ってしまう。そのためにも、実現できるかわからないものについては、軽々しく口にしないほうがよいというのが、孔子の時代よりもさらに昔からの教えなのである。

論語

136日目

人間と言葉の良し悪しは一致しない

□月□日

1 書写のポイントに気をつけて文をなぞりましょう。

君子(くんし)は言(げん)を以(もっ)て人(ひと)を挙(あ)げず。人(ひと)を以(もっ)て言(げん)を廃(はい)せず。

長くはらう　長く　そろえる　あける

『論語』衛霊公篇第一五・二二

鑑賞

「君子は、その人がよい発言をしたからといって、むやみに人を取り立てない。また逆に、相手が誰であっても、発言を無視することはしない」ということ。よい発言をしても、口先だけで行動を伴わない場合もある。また、評判の低い人からでも、優れた意見が出てくることもある。先入観は捨てて、公平に耳を傾けることが大切だという教えである。

2 文をなぞりましょう。

君子は言を以て人を挙げず。人を以て言を廃せず。

3 1のお手本を参考に、文を書きましょう。

論語

137日目

立派な人物になるための道

□月□日

1 書写のポイントに気をつけて文をなぞりましょう。

多(おお)く聞(き)きて、その善(よ)きものを択(えら)びてこれに従(したが)い、多(おお)く見(み)てこれを識(しる)す。知(し)るの次(つぎ)なり。

長く　とめる　等間隔に　反る　そろえる　形を意識

『論語』述而篇第七・二七

鑑賞

「多くのものを聞いて、その中からよいものを選び、それに従う。多くのものを見て、これを覚えておく。こんな私は、生まれつき道理をわきまえた知者とはいえないだろうが、知者の次ぐらいにはなれるのではないか」という意味。世の中にいる「何も知らず自説を立てる人」に対して、自分はそうではないと言いたいのである。

2 文をなぞりましょう。

多く聞きて、その善きものを択びてこれに従い、多く見てこれを識す。知るの次なり。

3 1のお手本を参考に、文を書きましょう。

論語

138日目

孔子が考える君子の条件

□月□日

1 書写のポイントに気をつけて文をなぞりましょう。

忠（ちゅう）信（しん）を主（しゅ）とし、己（おのれ）に如（し）かざる者（もの）を友（とも）とすることなかれ。過（あやま）ちては則（すなわ）ち改（あらた）むるに憚（はばか）ることなかれ。

等間隔に　たて長に　形を意識　はねる　あける

『論語』学而篇第一・八

鑑賞

孔子が、君子のあるべき姿について述べたもの。「誠実であることを目標とし、自分がより成長するためには、自分より劣っている人を友にしてはいけない。間違いがあれば、すぐに訂正すること」という意味。とくに過ちを犯してしまった後の対処の仕方については、他の項でもくり返し述べられており、孔子はかなり重要視していたようだ。

2 文をなぞりましょう。

忠信を主とし、己に如かざる者を友とすることなかれ。過ちては則ち改むるに憚ることなかれ。

3 1のお手本を参考に、文を書きましょう。

論語

139日目

可能性ある若者への希望を説いた言葉

□月□日

1 書写のポイントに気をつけて文をなぞりましょう。

後生畏るべし。焉んぞ来者の今に如かざるを知らんや。

(こうせいおそるべし。いずくんぞらいしゃのいまにしかざるをしらんや。)

『論語』子罕篇第九・二三

(はらう／とめる／あける／そろえる／形を意識)

鑑賞

「無限の可能性を秘めた若者を侮ってはならない。将来の彼らが今の我々に及ばないなどと、どうして言えるだろうか」という意味。この文には続きがあり、「四十歳、五十歳になっても世間に名が知られなければ、その人はもう恐れる必要はない」とある。つまり、可能性を秘めた若い間に努力して実力を伸ばすことが重要だということである。

2 文をなぞりましょう。

後生畏るべし。焉んぞ来者の今に如かざるを知らんや。

3 1のお手本を参考に、文を書きましょう。

論語
140日目

人のことをまず思うのが仁徳ある人の考え方

□月□日

1 書写のポイントに気をつけて文をなぞりましょう。

それ仁者（じんしゃ）は己（おのれ）立（た）たんと欲（ほっ）して人（ひと）を立（た）て、己（おのれ）達（たっ）せんと欲（ほっ）して人（ひと）を達（たっ）す。

『論語』雍也篇第六・二八

2 文をなぞりましょう。

それ仁者は己立たんと欲して人を立て、己達せんと欲して人を達す。

3 1のお手本を参考に、文を書きましょう。

鑑賞

門人の子貢（しこう）が「多くの人に施しをして救うことができれば、仁者といえるか」と尋ねたときの答えである。「仁徳のある者は、自分が地位につきたければ、人を地位につける。自分が出世したければ、人を出世させる」という意味。そして「自分を人に置き換えて考えるのが仁徳のある者のやり方だ」と続ける。実践を重要視した孔子らしい言葉だ。

参考文献

『NHK「100分de名著」ブックス 万葉集』(NHK出版)、『新訂 新訓 万葉集［上下巻］ワイド版岩波文庫』『古今和歌集 ワイド版岩波文庫49』(以上岩波書店)、『学研 学習用例古語辞典 改訂第三版』『中国の古典1 論語』(以上学研)、『日本名句集成』『万葉集を読むための基礎百科』(以上學燈社)、『新編 俳句の解釈と鑑賞事典』『原文&現代語訳シリーズ 古今和歌集』(以上笠間書院)、『はじめて楽しむ万葉集』『鑑賞 日本の名句』『日本古典評釈・全注釈叢書 新古今和歌集全注釈』(以上角川学芸出版)、『名句鑑賞辞典』(角川書店)、『鑑賞 小倉百人一首』(教学研究社)、『知識ゼロからの論語入門』(幻冬舎)、『カラー図説 日本大歳時記 座右版』『すらすら読める論語』(以上講談社)、『論語と孔子の事典』(大修館書店)、『中国古典の名言録』(東洋経済新報社)、『英語で論語』(祥伝社)

STAFF

書写指導・手本執筆　日比野照悦（読売書法会幹事／謙慎書道会理事／書象会無鑑査会員）
本文デザイン　バラスタジオ
校正　奎文館、渡邉郁夫
編集協力　オフィス201

元気脳練習帳
改訂版
脳が活性化する大人のえんぴつ書写 脳ドリル

2022年11月8日　第1刷発行
2024年3月28日　第3刷発行

監修者　川島隆太
発行人　土屋徹
編集人　滝口勝弘
編集長　古川英二
発行所　株式会社Gakken
〒141－8416　東京都品川区西五反田2-11-8
印刷所　中央精版印刷株式会社

この本に関する各種お問い合わせ先

●本の内容については、下記サイトのお問い合わせフォームよりお願いします。
https://www.corp-gakken.co.jp/contact/
●在庫については　Tel 03-6431-1250（販売部）
●不良品（落丁・乱丁）については　Tel 0570-000577
学研業務センター
〒354-0045　埼玉県入間郡三芳町上富279-1
●上記以外のお問い合わせは　Tel 0570-056-710（学研グループ総合案内）